LIEVE LEUGENS

Van Brigitte van Aken verscheen bij Davidsfonds Uitgeverij:
Land van Majesteiten
In kamerjas
Mooi weer vandaag

Lieve leugens

Brigitte van Aken

Davidsfonds/Infodok

Voor mijn dochters: Marlies en Iris

Aken, Brigitte van
Lieve leugens

Blijde-Inkomststraat 79-81, 3000 Leuven
Vormgeving cover en binnenwerk: Peer de Maeyer
Omslagillustratie: Matthew Hollerbush voor Corbis

D/2007/2952/7
ISBN 978 90 5908 216 8
NUR 285
Trefwoorden: gevangenis, leugens

'Ellen, slaap je?'

'Nee. Ik droom.'

'Denk je aan mama?'

'Ja. Ik denk altijd aan mama.'

'Mama wil je volgende week zien.'

'Ik weet het.'

'Ga je naar haar toe?'

'Misschien.'

'Neem je de bus of zal ik je rijden?'

'Ik neem de bus wel, papa.'

Er tikken drie elfjes tegen de ruit.

Het gele elfje strekt haar dunne armpjes uit en zegt: 'Het is allemaal niet zo erg.'

Het blauwe verfrist mijn voorhoofd met één regendruppel.

Het rode elfje draagt witte kousen en zilveren muiltjes. 'Kom maar. Volg ons.'

De koorts neemt toe.

Alleen als mijn vogeltje mee mag.

Ik grijp mijn grasparkiet stevig vast en wandel met hem de tuin in. De elfjes houden hun toverstokjes rechtop.

Laat je vogel vrij, zegt het gele elfje zacht.

Het zweet dampt over mijn lichaam. Mijn nachtpon kleeft tegen mijn buik.

'Geef hem één kus', fluistert het blauwe elfje.

Hoe mooi fladdert de parkiet de donkere nacht in.

'Over de oceanen naar de sterren en de maan', zegt het rode elfje.

In het vochtige gras leun ik tegen de grasmaaier.

'Slaap nu. We dekken je toe met warme wolken', zingen de elfjes.

Ik hoor voetstappen: het is een dikke man. Hij wikkelt mij in een deken.

Arm kind. Je vat nog kou.

Achter de grasmachine ligt een gewurgde vogel.

1

> Tijdens het weekendbezoek is de cafetaria geopend. Er kunnen warme dranken, frisdrank en broodjes besteld worden. Bonnetjes zijn te verkrijgen bij de portier. U mag wekelijks één pakje ontvangen dat ter controle moet worden voorgelegd.

Mama zit bleek voor me. Een koude tafel tussen ons in. In de hoek van de bezoekerszaal spelen enkele kleuters in een ballenbad.

Ze heeft haar blonde haren opgestoken en drinkt haar glas melk als een kind: er blijft een witte rand om haar lippen zitten.

Dan leunt ze achterover op haar stoel.

Haar voorhoofd glanst een beetje. Ze draagt haar gouden oorringen.

'Hoe gaat het met mijn Motje?'

Ik haal mijn schouders op. Moet ik haar vertellen dat ik mij iedere nacht in slaap huil? Dat de angst zich verkleedt in nachtmerries over vogels en dikke mannen?

'Je hebt roze lipstick op.'

Ik lach door mijn tranen heen.

'Het spijt me dat ik geen pralines voor je heb meegebracht.'

Mama haalt een papiertje uit haar broekzak en legt het voor me.

'Lees dat eens, Ellen.'

Dat ik opnieuw haar mooie handschrift zie, ontroert me. Ik lees hardop: '*Krullen bij de kapper: voor hem. Negen kilo minder: voor hem. Ademen: met hem. De eerste kerst sinds vijftien jaar: zonder hem. Zestien jaar: onder hem. In de gevangenis: door hem.*'

Hém, dat is mijn papa. Wat moet ik hier nu mee?

Mama glimlacht een beetje verlegen.

'Ik hield van papa', zegt ze. 'Echt waar, Motje. Je moet me geloven.'

Dan kijkt ze naar haar gelakte nagels en zegt vrolijk: 'Van Pierre, mijn begeleider, mag ik elfjes maken! Goed, hé.'

'Elfjes?'

Ik probeer vooral niet te denken aan de elfjes uit mijn droom. Of aan de dikke man.

Mama draait haar hoofd naar de binnenplaats, waar enkele gevangenen rondjes wandelen, en zegt: 'Weet je niet wat een elfje is, schat? Een elfje is een rijmpje van elf woorden.'

Ik kijk naar haar grijze bezoekschort.

'Oh.'

'Zoiets als:

Stijf

de kleuren aan mijn lijf

vijf tinten van grijs

ijselijk.'

Ze heeft zich een beetje opgemaakt met eyeliner en oogschaduw die ze in de kantine kan kopen.

'Zal ik je eens over Pierre vertellen? Pierre is een goedaardige reus. Ik mag nu en dan op zijn gelaarsde voet dansen.'

Daar heb je het weer: dat geflirt met woorden. Ik leg mama's tekst als een heilig voorwerp tussen ons in.

'Gisteren mocht ik van hem mijn leven in drie kleuren samenvatten', vertelt ze. 'Een soort therapie.'

'Therapie?'

Terwijl haar mondhoeken neerwaarts krullen, buigt ze zich voorover. Ik hang aan haar lippen.

'Zwart, blauw en grijs... heb ik hem gezegd. Hij keek er raar van op, Motje.'

'Dat geloof ik, mama. Hoe kom je aan zwart?'

'Na mijn zesde. Toen je opa vertrok en nooit meer terugkwam. Een zwarte periode in mijn leven.'

Het enige wat ze me ooit over vroeger heeft verteld, is dat ze gezien heeft hoe oma's nieuwe man – Herman heette die – oma van de trap duwde. Ze brak toen al haar botten.

'Maar later kwam blauw.'

'Ja. Veel later. Toen papa en ik jou adopteerden. Motje met de indianenoogjes. Blauw staat voor hemels. Je was een kind uit de hemel.'

'En grijs?' Wat is er misgegaan tussen papa en haar?

'Draai dat blad eens om', zegt ze vriendelijk. Dan staat ze op, schraapt haar keel en salueert als een soldaat: '6.55: ik sta op. 6.56: ik houd mijn kop onder de kraan. 6.57: ik poets mijn tanden. 6.58: ik ontbijt. 7.00: ik drink slechte koffie. 7.01: ik verlaat mijn cel...'

In de hoek zie ik hoe de cipier ons als een slangenbezweerder in het oog houdt. Mama zegt dat ze onbekwaam en corrupt is en toont me de afdruk van tanden in haar hals. Ik schrik.

'Dat heeft die cipier toch niet gedaan?'

'Nee, een gevangene. Tinne. Beet gisteren in mijn nek, verdomme. De zottin. Stak haar ex-leraar dood in de halsslagader. Kreeg zeven jaar.' Ze wijst naar een jonge vrouw die verdwaasd naar de kleuters in het ballenbad kijkt.

'Gelukkig deel ik mijn cel met die blonde daar. Kaat.'

'Oh. En die is wel leuk?'

Mama kijkt mij ernstig aan.

'Niemand is hier leuk. Maar Kaat is wel de meest normale. Haar zoontje zit in een pleeggezin. Mathias heet hij.'

Ze geeuwt als een leeuw.

'Je moet nu maar vertrekken. Ik ben moe.'

Volgende week is het Kerstmis. Ik zal haar missen. Tussen mama en mij hangt een dunne draad van staal die niemand kan doorknippen. Ze vouwt haar handen alsof ze bidt.

'Over elf jaar moet ik de gevangenis verlaten als een beter mens. Maar dat is een probleem, Motje. Ik was al een goed mens. Snap je dat, schat?'

'Kerstmis thuis zal zonder jou niet hetzelfde zijn', zeg ik.

'Jij mag niet droevig zijn en je moet...' Ze klopt drie keer op de rug van mijn hand. '... veel plezier maken met Simon. Hoe gaat het met die jongen?'

Ik durf haar niet te vertellen dat ik al drie weken niet meer met Simon heb gevrijd. Geen zin.

'Goed, denk ik. Hij doet je de groeten.' Dat laatste is een leugen.

'Dag Motje.'

'Dag mams.'

'Tot volgende week?'

'Zeker.'

'Staat onze schommel er nog?'

'Natuurlijk.'

'Niet afbreken.'

'Oké.'

'Het roze is mooi.'

'Wat?'

Ze legt haar wijsvinger op haar lippen: 'Lipstick.'
'Oh.'
'En... Ellen...'
'Ja, mama?'
'Breng eens een linnen tafelkleed mee. Wit linnen.'

Ik zie mijn mama graag. Als zij vrijkomt, ben ik zesentwintig.

2

De parkiet vliegt door de huiskamer. Simons schouder is zijn landingsplaats. Hij trippelt naar zijn oor en krast: 'Pietje wil knuffelen. Pietje wil knuffelen.'

Simon slaat de vogel weg.

Simons moeder breekt een chocoladereep in stukken.

'Pure chocolade houdt de geest fris', zegt ze, terwijl Simon wat stuntelig een ring aan mijn vinger schuift. Hij wil niet naar mijn afgebeten nagels kijken.

'Het is bergkristal', glimlacht zijn moeder en haar huid lijkt van karton. Ik merk hoeveel moeite ze doet om mij, *dochter ván,* het gevoel te geven dat ze het allemaal niet zo erg vindt. Onzin, natuurlijk. Ze vindt het verschrikkelijk: ik, *dochter ván,* lik zomaar haar zoete zoon weg.

Simons vingertoppen wrijven over mijn rug, alsof ik hem heb gevraagd me daar even te krabben.

'Vind je hem mooi?'

'Mooier dan diamant', antwoord ik.

Simons moeder kruipt in haar tv-hoek.

Ik nestel mij in de andere zetel, dicht tegen Simon aan. Wat ruikt hij lekker.

Het is niet écht gezellig bij hem thuis, maar het is de enige thuis die ik heb.

'Liefde maakt onze eenzaamheid minder erg', zegt Simon, die over enkele jaren wijsbegeerte wil studeren.

Ik weet dat ik verliefd ben op een gesloten, wispelturige jongen. Ik heb zijn zwijgen geaccepteerd en troost mezelf met de gedachte dat ik – ondanks de stilte en de grillen – bij hem terechtkan met mijn vragen en twijfels.

'Waar denk je aan?' vraagt hij lief.

'Aan mama. Er staat een film met nabespreking op het programma. Familieleden zijn ook uitgenodigd. Ik ga morgen.'

Het is niet écht de waarheid: ik dacht aan de kerstmissen van vroeger, toen mama en papa nog mijn volle ouders waren. Ik was een jaar of zeven.

Kerstmis was lachen boven stalen manden vol hout en vuur, glühwein drinken en kluiven aan een kippenpoot. Kerstmis was vierde wereld spelen onder de olmen van onze villa, gestrekt op het tapijt bij de open haard liggen en naar muziek uit de oude grammofoon van oma luisteren. Kerstmis was papa die heupwiegend door het huis danste. Papa was stoerder dan Ali Baba en mama mooier dan een oosterse prinses. Ze zoenden. Er hing seks en een tikkeltje schaamte in de lucht.

Nu is mama een afgedankte circustijgerin in een kooi. Eén die mijn papa wilde verscheuren.

'Ik ga naar bed', zegt Simons moeder terwijl ze nogal bruusk de televisie uitzet. 'Maak het niet te laat, jongen.'

'Slaapwel, mevrouw', zeg ik. Ze glimlacht schaapachtig.

'Groeten aan je papa. Ik heb zo met hem te doen. Gaat het een beetje?'

Ze wacht mijn antwoord niet af en verdwijnt als een schim richting slaapkamer.

Simon ruikt nog naar chocola als zijn tong mijn hals likt.

Traag legt hij zijn been over mijn heupen.

'Vertel eens iets spannends', zegt hij hees.

Ik schraap mijn keel. Nu mag ik hem niet ontgoochelen.

'Je tong is een heerlijke spier', zeg ik.

Hij legt zijn hand op mijn mond en gaat boven op mij liggen. Ik vind hem goddelijk.

'Ga verder, Ellen.'

Er zitten tranen klaar. De riem van je tong is scherp en lekker, de punt is vinnig en...'

De betovering is verbroken. Ik begin te huilen.

Hij rolt op de grond alsof ik hem persoonlijk uit de zetel heb geduwd.

'Wat is er toch met jou, Ellen?'

Ik duw de top van mijn middenvinger tegen mijn tanden. 'Ik weet het niet.'

Hij zucht, slaat zijn armen rond zijn knieën. Het bergkristal schittert als diamant.

'Praat er met mij over', zegt hij.

'Hoe vind jij mijn papa?'

Hij haalt zijn schouders op.

'Dapper. In die rolstoel. Hij zet zijn leven voort, heb ik de indruk.'

Ik bijt op mijn onderlip en kijk hem kwaad aan.

'Is dat alles?'

'Tja, wat wil je dat ik zeg?'

Zijn houding kwetst mij, maar ik ga door. 'Denk je dat mijn papa schuld heeft aan wat er gebeurd is?'

Simon fronst zijn wenkbrauwen. Ik vind hem plotseling niet mooi meer.

'Zegt je moeder dat?'

Ik knik.

'Mama zegt dat ze van hem gehouden heeft. Dat ze voor hem negen kilo wilde vermageren. Dat het zijn schuld is dat ze in de gevangenis zit.'

Mijn schoenen staan als stille getuigen van dit gesprek onder het salontafeltje. Simon schudt traag zijn hoofd.

'Ik denk dat ze liegt, Ellen.'

'Ze gaf me een motief.'

'Vertel verder.'

'Mama beweert dat ze zestien jaar onder zijn druk heeft geleefd.'

Ik kijk hem smekend aan.

'Is mijn papa wreed voor haar geweest? Zou dat kunnen?'

'Dat praat haar misdaad niet goed.'

'Weet ik. Maar stel dat het waar is...'

'Er bestaan ook verdraaide waarheden, Ellen', zegt Simon. 'Of misschien was hij niet áltijd zo lief voor haar.' Hij streelt mijn voeten. 'Zoals ik soms wreed en lief voor jou kan zijn', fluistert hij. Kusjes op mijn tenen.

Ik leg mijn hand op zijn krulhaar. Blij dat hij mij niet wegslaat, zoals de parkiet uit mijn droom.

'Nee', zeg ik. 'Jij bent alleen maar lief voor mij.'

3

> Vanuit de inrichting wordt ernaar gestreefd u de kans te geven om verantwoordelijkheid ten aanzien van uw familie te nemen. Verantwoordelijkheid voor uw familie vertaalt zich naar bezoekregeling.

Vandaag, op kerstdag, heb ik pralines voor mama bij.

De kerstman, een kruising tussen kapitein Iglo en God de Vader, overhandigt haar een rood geschenk.

Mama, die de mooiste ogen ter wereld heeft, opent zuchtend het pak en kijkt opzettelijk scheel naar wat erin zit: twee theedoeken en een stuk zeep.

'Een troostprijs voor de dwazen', mompelt ze.

'Ruik eens!'gilt Kaat, terwijl ze met de flacon tegen mijn nek spuit. 'Lekker, hé.'

Ze ziet er een beetje oververhit uit. Het decemberlicht valt schel op haar gezicht.

Mama trekt me naar zich toe en fluistert: 'Al twee dagen hoogspanning in mijn cel. De PSD beloofde Kaat dat ze met de feestdagen voor 38 uur naar huis kon.'

'PSD?'

'Psycho Sociale Dienst.' De scherpe geur van het parfum bedwelmt me een beetje.

'Dan zou ze zilveren ballen in een dennenboom hangen en een parelhoentje braden. Maar de directeur heeft haar papieren niet willen tekenen. Ze moet dus binnen blijven.'

'Maar dat is toch erg voor haar?'zeg ik.

'Niks erg, Motje. Geloof me, ze wilde haar zoontje met een kussen verstikken.'

'Kom naast me zitten', zegt Kaat vriendelijk. Ze legt haar hand op het rode kussen van de stoel. Ik glimlach naar haar.

Het licht gaat uit.

Ik zit gekneld tussen mama en Kaat. Op mijn schoot prijkt het doosje pralines. We volgen het levensverhaal van een gewone vrouw, Dolores

Clayborne, die ervan profiteert om tijdens een spectaculaire zonsverduistering haar straalbezopen echtgenoot in een put te dumpen.

Om halftien is de film afgelopen.

Pierre knipt het licht aan.

'Bedenkingen bij dit verhaal, dames?'

Slechts één: Dolores Clayborne zit links naast me. Het is mijn mama.

'Jullie hebben nog een kwartiertje.' Zijn ogen kijken als twee stationsklokken. Het is muisstil in de kamer.

'Vonden jullie het een boeiende film?' Zijn bril ligt gekruld op de tafel.

Pierre is als een goedaardig knobbeltje in je borst: dat mag ook blijven zitten.

'Is er niemand die hier iets over wil zeggen?' Het klinkt bijna smekend.

Haastig deelt hij papiertjes uit, de vrouwen moeten om tien uur weer de cel in.

'Schrijf vijf woorden die bij je opkomen', roept hij.

Arme Pierre. Ik denk dat hij met zijn snor zijn lelijke tanden wil verbergen.

'Ik zal er twee roepen', stelt mama voor. 'Dan is het ijs gebroken. Is dat goed?'

Pierre laat zich als een uitgeputte vis aan de haak slaan.

'Opluchting en gif', zegt mama.

Zijn lieve oogjes twinkelen als hij vraagt: 'Wat bedoel je met die woorden, Marleen?'

'Oh. Simpel. Op zondagmiddag een ritje door het bos: opluchting als de koffer van zijn wagen opengaat en ik eindelijk weer blauwe lucht zie. Gif in zijn ogen als ik zeg dat ik bijna was gestikt.'

Mijn hart slaat enkele keren over. Heeft ze het over mijn papa? Dit kan niet waar zijn!

Is dit papa's wreedheid waar Simon het gisteren over had? Het is alsof er een prop watten in mijn keel zit.

'En dat is nog niet alles. Hij kocht een Duitse scheper en maakte dat beest zo wild dat het zijn eigen puppy verscheurde. Hij nam een bijl en kapte de kop van de kleine hond eraf. Ik stond erop te kijken.'

Ik slik. De geur van het goedkope parfum maakt me misselijk.

Dan knijpt mama heel hard in mijn hand.

'Sorry, Ellen, maar dit is allemaal écht gebeurd.'

Ik staar wezenloos naar mijn ring. Mijn keel is kurkdroog.

'We moeten het hebben over de film', zegt Pierre. Hij klinkt wat radeloos nu.

'Wel, Pjeirrr', hoor ik mama spottend zeggen, 'Dolores zit hier voor je. Stel haar gerust vragen. Ze zal er graag op antwoorden.'

Tumult in de groep. Kaat blaast als een kat met een hoge rug en enkele andere familieleden persen de lippen op elkaar. Zweetdruppels verschijnen op Pierres voorhoofd.

'Ga naar je cel, Marleen', zegt hij. 'Je blokkeert het gesprek. Kom, sta op.'

Mama, de onberekenbare, schuift haar stoel naar achteren, steekt haar kin vooruit en wandelt weg zonder mij één blik te gunnen. Ik weet niet of ik boos op haar moet zijn.

Tegen het prikbord in haar cel hangt een kindertekening van mij met een boom en een poes op een schommel.

4

> In de hal hangt een brievenbus waarin u brieven met klachten of opmerkingen kunt deponeren.

Om vier uur slaat de torenklok.

Mama sleept zich naar de zithoek waar ik op haar zit te wachten. Ik denk aan de koffer: *opluchting en gif.* Ik denk aan de puppy: *kapte de kop van de hond eraf.* Ik denk aan Simons woorden: *je mama liegt.*

'Sorry, ik heb me gisteren aangesteld', zegt ze. Mijn hart springt op van blijdschap. Oef. Er waren geen dolle ritten door het bos, er was ook geen puppy. Mijn papa gaat vrijuit.

'Maar het is wél de waarheid, Motje.'

Hoe kort geleden is het nog maar dat ze tegen me zei:

'Als je huiswerk klaar is, gaan we met papa naar de speeltuin. En dan krijg jij een ijsje met drie bollen.'

Alsof ze mijn gedachten raadt, zegt ze: 'Er is niemand meer om je onder te stoppen.'

'Toch wel. Er is papa', antwoord ik.

Ze knikt.

'En dat is heel belangrijk. Daarom hoef je ook niet álles te weten.'

'Maar ik wil alles weten.'

'Toen ik klein was, sneed je oma restjes vlees in stukken en bakte ze die in een grote pan met een eitje of twee', begint mama te vertellen. Het verbaast me altijd weer hoe ze van de hak op de tak kan springen. En ook vandaag ontkom ik er niet aan. Maar ik zal aandachtig luisteren. Wie weet licht ze een tipje van de sluier op.

'Het klapraam van mijn zolderkamer keek uit op de tuin, waarin ik een konijn mocht houden en later twee eendjes. Er stond een groene stalen schommel, een minder mooie dan de houten die ik voor jou kocht. Je hebt die toch niet afgebroken?'

Ik schud mijn hoofd. Deze periode uit haar leven ken ik als mijn broekzak: ze was een gelukkige kleuter. Wat ik écht wil horen, houdt ze angstvallig geheim: wat gebeurde er later, toen zij in de lagere school zat?

'Als ik moest plassen, warmde ik mijn handen boven de kolenkachel, want de wc stond buiten. Ik herinner me koude billen op een houten wc-bril en een waterkruik op de grond. Het waren andere tijden, Motje. Ik herinner me ijsbloemen op het raam. Je opa tekende mijn slechte cijfers voor rekenen met een kruisje op mijn voorhoofd weg.'

Ze bedwelmt me met haar warme verhalen, als rook van wierookstokjes rondom mij.

'Toen ik achttien was, leerde ik je papa kennen.' Gewiekst slaat ze de twaalf zwarte jaren over.

'Vertel eens over je stiefvader. Over Herman.'

Alsof ze mijn vraag niet heeft begrepen, gaat ze verder.

'Je papa was lief voor mij. In het begin. Maar algauw bleek dat ik mij in hem had vergist.'

'Hoezo?' vraag ik met een benepen stemmetje. Ik denk aan papa's kleine, lieve oogjes en hoe ondeugend ze soms kunnen twinkelen.

'Als ik over jouw oma en opa praatte, zei hij: *Hou er maar over op. Je vader was een lafaard en je moeder werd een kreupele sukkel.* Die woorden hebben mij erg gekwetst, Motje.'

Heeft papa ooit zulke gruwelijke dingen tegen haar gezegd?

'Toen we getrouwd waren, pestte hij mij wel eens met mijn armzalige afkomst', vertelt mama verder. 'Het dak waaronder ik met hem leefde, was zijn dak.'

Nu geloof ik haar niet meer.

'Dat moest ook de notaris weten. *Als je rijk bent, zoals mijn familie rijk is, dan moet ik me indekken*, zei hij. *Indekken tegen wie?* vroeg ik hem dan. *Tegen de gieren*, zei hij.'

Dat kan papa nooit zo gezegd hebben. Ze liegt. Ze liegt!

'Ik geef niks om geld en rijkdom, Motje.'

Als ze liegt, is ze zo lief. Dat waren de woorden van de openbare aanklager tijdens mama's proces. Ik verliet de zaal en kotste het binnenplein onder.

'En het allerergste was,' gaat mama verder, 'papa wilde geen kind van mij. *Want dan lijkt het misschien op je lelijke moeder of heeft het de proletarische kop van je vader*, zei hij.'

Het wordt steeds maar erger.

Mama knikt.

'Zijn woorden.'

Het is de eerste keer dat ik haar dit hoor vertellen. De eerste dagen tijdens de rechtszitting had ze koppig haar mond gehouden. De dag ná oma's getuigenis zat ze lijkbleek in het beklaagdenbankje en snikte ze ingehouden. Oma had gezworen de waarheid te vertellen. *Wat een onzin vertelt mijn dochter toch! Schei toch uit, Marleen! Herman heeft mij helemaal niet van de trap geduwd. Waarom zou hij dat gedaan hebben? Wij hadden een goede relatie. Ik struikelde, mijnheer de advocaat. Over zijn pantoffels nog wel.* Ik keek naar mama's verbijsterde gezicht en geloofde oma niet.

Mama duwt haar glas melk weg en lacht naar mij.

'Waarom ging je niet bij papa weg?' vraag ik. Dan hadden ze me niet uit Colombia hoeven te halen.

'Dat deed ik ook. Ik ging van hem weg. Drie weken in september. Ik weet het nog goed: jij begon aan je derde leerjaar. De juffrouw zei dat je te veel droomde in de klas.'

Het glas melk staat zuur tussen ons in.

'Maar hij haalde zijn *lekker zoogdier* terug', gaat mama verder. 'Roepend. Tierend. Ooit schudde hij een hele zak cornflakes door het huis leeg. Zomaar. Zonder reden.'

Zomaar? Er moet een reden geweest zijn. Ik richt mijn ogen op de klok: ik moet naar huis om het verlamde onderlijf van de bruut op de wc te zetten.

'Je gelooft er niks van, zeker?' zegt mama als ik een kus op haar wang druk.

Ik durf niet te zeggen wat ik denk. Ik durf zelfs niet te denken.

'Motje?'

'Ja, mama?'

'Zou je mij nog eens een plezier willen doen?'

'Natuurlijk.'

'Ik denk dat Sim en Sam ergens tussen de kampeerspullen op zolder liggen. Wil je ze even voor me zoeken?'

'Doe ik, mama.'

Op de terugweg herlees ik het krantenartikel dat mijn hele leven overhoop heeft gehaald. Ik heb het steeds bij me, opgevouwen achter mijn identiteitskaart.

De geruchtmakende rechtszaak tegen Marleen V. uit B. beleefde dinsdag haar ontknoping: de jury achtte de vrouw schuldig aan poging tot moord. Zij kreeg twaalf jaar, verminderd met twee jaar omdat de rechter vond dat zij een goede moeder was.
De 41-jarige Marleen V., die eind februari haar man wilde vergiftigen, stond terecht voor het assisenhof te Antwerpen. De vrouw bleef tijdens het proces onschuldig pleiten.

Als mijn mama doodgaat, sterft de waarheid met haar.

5

Hij zit op de bovenste stang van de schommel en kwettert.

Simon steekt zijn hoofd door het venster.

'Hoe kreeg je hem zo tam?' vraagt hij.

'Door hem te verwennen. En veel te knuffelen', antwoord ik lachend.

Plotseling krijgt Simon enorme vleugels en hij vliegt door het raam van mij weg.

Ik open mijn mond en wil schreeuwen. Er komt geen geluid.

Papa heeft mijn oranje sjaal om zijn nek gebonden. Hij zit buiten in zijn rolstoel onder de kersenboom voor zich uit te staren. Ik heb Chinees voor ons besteld.

Soms lijkt mijn leven een absurd poppenspel; ik weet niet wie precies wie de kop heeft ingeslagen. En wie daarvoor gestraft moet worden.

Sinds mijn vorige bezoek aan mama leef ik in voortdurende angst en verwarring: *opluchting en gif. De puppy, mama in de koffer, de proletariërkop.*

De open haard brandt. Het hout knettert. Waarom heb ik me nooit vragen gesteld over hun relatie? Waarom herinner ik mij geen ruzies, geen cornflakesscène, geen harde woorden?

Waarom praat ik niet over mama met hem? Hij weet dat ik haar zo vaak ik kan ga bezoeken, maar hij vraagt nooit hoe het met haar gaat. Waarom zou hij ook? Het is haar schuld dat hij verlamd is.

Papa blaast in zijn handen en bespiedt zichzelf in het ronde spiegeltje aan de leuning van zijn rolstoel.

Mijn bakje garnalen blijft onaangeroerd op het salontafeltje staan.

'Papa! Kom je naar binnen? Het eten wordt koud! En het ziet ernaar uit dat het zal regenen.'

Als hij naar de woonkamer rolt, zie ik dat de ene helft van zijn haar korter is geknipt dan de andere. Het dienblad op zijn benen is zijn tafeltje.

'Niet te veel rijst', zegt hij. En plotseling moet ik me van hem afwenden, tranen springen in mijn ogen. Ik doe alsof ik moet niezen.

'Wie zat aan je haar?' vraag ik, terwijl ik hem zijn bord geef.

'Een kapster die ik ken', mompelt hij. Zijn kleine oogjes gloeien.

We eten en praten niet meer. Het vuur in de haard dooft. Dadelijk moet er hout uit de kelder worden gehaald.

'Hadden wij ooit een hond?'vraag ik.

Papa rolt zich naar de keuken, opent de koelkast en zoekt een flesje bier.

Ik volg hem en stel de vraag opnieuw.

'Papa, hadden wij ooit een Duitse scheper?'

Het licht van de koelkast schijnt op zijn bezwete voorhoofd.

Mijn hart bonst in mijn keel als hij zijn arm naar mij uitstrekt en wacht tot ik mijn hand in zijn hand leg. Dat doe ik niet.

'Hadden wij een Duitse scheper die een puppy kreeg?'

Hij bijt altijd op zijn onderlip als hij gespannen is.

'Waarom vraag je dat, Ellen?'

'Godverdomme, papa! Ja of nee?'

Hij kijkt naar zijn gestrekte arm en balt zijn hand tot een vuist.

'Nee.'

Ik grijp hem bij de pols en knipper met mijn ogen om mijn tranen te verdringen.

'Mama zegt van wel.'

'Mama zegt zoveel.'

'Wij hadden dus geen hond.'

'Nee.'

'Dan liegt mama. Ze zei dat we een hond hadden. Een Duitse scheper. En een puppy.'

'Mama had vroeger wel een hond. '

'Voor ze met jou trouwde.'

'Ja.'

Zijn vuist ontspant weer. Ik streel even zijn vingers.

Dan slaat hij met zijn andere hand de koelkast dicht.

Zijn hoofd wordt een donkere vlek.

'Wanneer beslisten jullie een kind te nemen?'vraag ik.

Hij mag nog niet weggaan.

'Sinds de dame in de supermarkt.' Hij zucht. Tegen de koelkast hangt een memo aan een grappige magneet: een man met een bierbuikje. Op het blaadje heeft papa: *Tandarts Ellen 14 januari* geschreven.

Ik zit voor hem op mijn knieën. De vloer voelt hard en koud aan.

'Vertel eens over die dame.'

Mijn twijfels over mama worden met de dag sterker. Als er geen puppy was, was er ook geen koffer. Geen cornflakes en geen proletariërkop.

'Er zit een peuter in het zitje van een winkelkarretje', vertelt hij zacht. 'Ik sta aan de kassa. Zijn moeder heeft weinig aandacht voor hem. Een oude dame achter me maakt kirrende geluidjes. Ik draai me om en kijk in vochtige ogen. "Hij flirt al", zegt ze. "Niets zo mooi als kinderen. Ik heb er één gehad. Hij stierf toen hij vijf was. Dat vergeet je nooit." Ze legt haar winkelwaar op de band: witlof, biefstuk en aardappelpuree.'

Papa's ogen zijn vochtig. Zijn handen liggen als gekwetste vogels in zijn dode schoot.

'En toen wist je het.'

'Wat?'

'Dat jij niet oud wilde worden zonder kinderen.'

Hij klemt zijn hand om mijn bovenarm. De regen slaat tegen het raam.

'Vond jij het erg dat mama arm was?' vraag ik stilletjes.

'Helemaal niet. Geld helpt alleen het ongeluk te dragen, Ellen.'

Ik leg mijn hoofd als een zoenoffer op zijn knieën en begin luid te huilen. Mijn moeder is een leugenaar.

6

> Ook de ruimere samenleving ondervindt schade van uw daden.
> Het is aan u om ook hier uw verantwoordelijkheid op te nemen.
> Misschien door u op een positieve manier in te zetten?

'En toen werd er gebeld', hoor ik haar zeggen voor ik binnenkom. Ik heb het witte linnen tafelkleed voor haar bij me.

Mama's benen zitten verstopt in een vormeloze broek. Ze is de laatste weken erg vermagerd.

'Ha, dag Motje!' roept ze.

Kaat, die naast mama zit, slaat het ene been traag over het andere en wiebelt met haar linkervoet. Ik weet van mama dat ze last heeft van depressies omdat ze haar zoontje niet meer mag zien en dat ze vreselijk snurkt terwijl haar getatoeëerde arm griezelig langs het bed naar beneden hangt. Mama grijpt mijn hand en spert mijn vingers open.

'Kijk eens, dames, wat een prachtige ring mijn dochter van haar vriend gekregen heeft!'

Haar stem galmt tegen de muren van de zaal. Ik schaam me een beetje voor haar.

'Och, het is maar bergkristal', zeg ik zo vrolijk mogelijk.

Tinne, een stevige vrouw met dikke borsten, springt recht en drukt haar vuisten tegen haar heupen. 'Wow zeg, wat een kanjer!'

'Ellen is bescheiden', hoor ik mama zeggen. 'Simon ziet haar graag, hé? Dat is toch zo, Ellen?'

Ik kleur tot in mijn nek.

Tinne geeuwt als een oud nijlpaard. Ik zie loden tanden rond een witte tong.

'Oké, Marleen. Genoeg geluld', zegt ze. 'Vertel verder. We waren bij de bel.'

Maar mama neemt me even apart.

'Grote mond, klein hartje, die Tinne. Vergeet wel eens haar medicijnen te slikken. Zo gauw die hier buitenkomt, vermoordt ze...' – en ze gebaart naar de hoek, waar de cipier een tijdschrift zit te lezen. Mama fluistert: 'Gisteren hield die trut Tinnes hoofd boven de wc-pot. Zulke dingen gebeuren hier. Buiten wil niemand dat geloven.' Mama gaat terug naar haar groep.

Ik wil liever met haar apart aan een tafel zitten, maar daar komt vandaag niks van in huis. Ze is de akela van de verstoten welpen geworden.

Tinne hangt log in haar stoel, haar gezwollen voeten in slippers gehuld. Als mama haar lichaam opspant als een veer en witjes glimlacht, buigen de vrouwen zich als grashalmen naar haar toe. Ze geniet van de aandacht die ze krijgt.

De gezwollen voeten trommelen op de grond: 'Vooruit nu. Verder vertellen. Of, weet je wat, Marleen? Begin opnieuw. Dan kan je dochter ook volgen.'

Tinne glimlacht naar me als een nonnetje. *Stak haar leraar in de halsslagader.*

Mama haalt diep adem. Als ze haar handen in elkaar slaat en naar het plafond kijkt, doet ze me denken aan een verweerd heiligenbeeld op de rommelmarkt.

'Oké, dames. Hier gaan we. Motje, welke dag zijn we vandaag?'

De dames giechelen als kinderen.

'De zesde', zeg ik.

Tinne slaat op mijn rug.

'Driekoningen!'gilt ze. 'Driekoningen!'

Ik heb het door: mama doodt hier de tijd.

'Er wordt dus aan de deur gebeld. Stel je nu een meisje met zwavelstokjes voor. Een kind uit een arm gezin. Het vriest buiten. Maar ook binnen is het niet bijzonder warm. *Niet opendoen*, zegt de moeder van dat meisje. *Dat zijn weer die rotkinderen. Maar...* sputtert het arme meisje tegen... *dat zijn de heilige Driekoningen, mama!* De moeder legt haar zware borsten op de vensterbank...'

'Hahaha, dat zou bij mij niet lukken!' gilt Kaat, terwijl ze haar handen over haar A-cupje legt.

'... en roept naar beneden: *Weg jullie! Er is niemand thuis!* Maar het arme meisje denkt: als ze nog één keer bellen, ren ik naar beneden. En dat gebeurt. De bel gaat. De koningen dragen een gouden kroon en een rood tafelkleed met vlekken. Hun oogjes stralen. De kleinste houdt een kartonnen doos vast. *Maak dat jullie wegkomen, schorremorrie*, roept de moeder van het meisje. *'k Heb godverdomme zelf niks!* Het meisje stopt gauw een euro van haar zakgeld in de gleuf van de doos.'

Als mama haar keel schraapt, reikt Kaat haar een glas water aan.

'En verder?'

Mama zucht. Het is alsof het verhaal haar heeft uitgeput.

'Dit was het.'

Waarom heeft ze juist dat verhaal verteld? Was zij het meisje met de zwavelstokjes?

'Hoe kunnen moeders zo afschuwelijk wreed zijn!' fluit Tinne tussen haar tanden.

Ik durf niet naar Kaat te kijken.

'Leeft jouw moeder nog?'vraagt die aan mama.

Mama knikt en drinkt in één teug haar glas leeg. 'Ze wordt goed verzorgd.'

'Oma zit in een bejaardentehuis', vertel ik. 'Ze brak ooit al haar botten en loopt krom.'

Er valt een stilte die ik niet goed kan plaatsen. Zijn de dames onder de indruk of afgeleid door de cipier die glimlachend een plateau roomsoezen brengt?

Als mama haar tanden in het suikerlaagje plant, kijkt ze me streng aan en word ik een beetje bang. Ze trekt aan mijn mouw, net zoals vroeger wanneer ze zich heel erg inhield om niet in woede uit te barsten.

'Wat is er?'vraag ik.

'Nooit over ons privéleven vertellen', fluistert ze, bleek van boosheid.

'Ik heb toch niet verteld dat ze van de trap werd geduwd! En bovendien: jij vertelt toch ook!' probeer ik mij te verdedigen. Ze kijkt angstig om zich heen. De dames hebben geen aandacht meer voor haar, ze smullen de soesjes gulzig op.

'Verhaaltjes', zegt ze boos. 'Verhaaltjes. Nooit waarheden. Ik wás zoals in het verhaal van daarnet een kind uit een arm gezin, maar de rest is allemaal verzonnen. Oppassen, Motje! Kaat is een sluwe zilvervos en Tinne een Arabische volbloed. Allebei wild en onbetrouwbaar. Alles wat hier gezegd wordt, kan tegen je gebruikt worden. Kijk me aan. Nee, sla je ogen niet neer. Kijk me aan, zeg ik je. Wees vertrouwd, maar vertrouw niemand. Hoor je me? Zal je dat onthouden?'

Er zit een toef room op mama's neus als ik zeg: 'Vertel jij mij altijd de waarheid, mama?'

‘Wat bedoel je?’

‘Over de hond. En de koffer waarin jij...’ Mama knikt. Het is een kort, kordaat knikje.

‘We hadden een hond. Hij hakte het hoofd van de puppy eraf.’

‘Papa?’

Mama’s ogen worden glazig als ze naast me wegkijkt naar het ballenbad in de hoek.

‘Hij was mijn papa niet’, zei ze.

‘Over wie heb je het dan eigenlijk?’

Haar vriendelijke glimlach gaat als een dolk door me heen.

‘Toen we jou kregen, scheen de zon tegen een helderblauwe lucht.’

Ik zucht. ‘Ik weet het, toen begon het hemelse blauw.’

De pupillen in haar ogen staan weer normaal als ze me aankijkt. Met mijn wijsvinger haal ik de room van haar neus.

‘Vertel me dan wie zo vreselijk voor jou geweest is, mama. Wié nam je mee in zijn koffer? Wie was zo wreed met dieren? Was het Herman?’

‘Je bent te ongeduldig, Ellen.’

Ik ben haar volle dochter weer. Voorlopig zal ze niet meer vertellen. Maar één ding is zeker: mijn papa heeft geen hondjes mishandeld.

Ik neem afscheid van het bonte gezelschap en geef mama een zoen. De gevangenispoort sluit zich hoorbaar achter mij. In het schijnsel van de laagstaande zon stap ik naar de bushalte.

7

Ik woon ergens hoog tussen bomen en houd een kartonnen doos in mijn handen. Uit die doos vallen letters. Ik laat me aan een liaan naar beneden vallen en puzzel ze in elkaar. Zo vorm ik het woord SIMON. Dan val ik om als een pop. Mijn armen breken. Mijn hoofd is gebarsten.

We liggen in lepeltjeshouding, Simon en ik. Ik schurk me tegen hem aan als een kat vol vlooien tegen een lantaarnpaal en leg mijn hand over zijn warme piemel.

Simon knort als een tevreden varkentje. Maar verder dan dit wil ik niet gaan.

'Ga met me mee naar oma, lieve schat. Ik heb verdorie al zo weinig familie', probeer ik hem af te leiden van wat hij onvermijdelijk verwacht.

Ik druk een kus op zijn rug

'En ik heb eigenlijk geen moeder meer', voeg ik er stilletjes aan toe. Het is alsof zijn nekharen overeind gaan staan. 'Alleen nog een grootmoeder. En die is best lief. Daarom wil ik dat jij haar ontmoet.' Ik werp een blik op mijn wekker. 'Echt waar. Mijn oma is een lief mens.'

Het is zeven uur. Papa komt dadelijk thuis.

'Je moet weg', zeg ik, terwijl ik tegen zijn billen tik.

Braaf slikt hij zijn ontgoocheling in. Ik heb weer niet met hem gevrijd. Toch niet echt.

'Wat is er?'

'Niets', zucht hij. 'Een oneindig niets.'

Daar gaat hij weer: mijn aanstellertje.

Omdat ik wat heb goed te maken heb, kruip ik dicht tegen hem aan en fluister in zijn oor: 'Wat bedoelt mijn filosoofje?'

'Er is zoveel niets dat alles belachelijk wordt', zegt hij.

Ik klets tegen zijn billen en denk aan de lettertjes uit mijn droom.

'Wat doe je hier dan de hele tijd in je blote kont?'

Simon springt uit het bed en trekt zijn jeans aan. De bovenkant van zijn rug staat vol pukkels, maar dat vind ik niet erg. Ik zie hem graag.

Hij knoopt zijn jeans dicht en mompelt: 'Zoveel niets dat je alles tijdverspilling kan noemen.'

Ben ik tijdverspilling?

'Ben jij misschien bang om mee naar oma te gaan?' vraag ik terwijl ik mijn armen in de mouwen van mijn jurk steek.

'Ik ben een ongelukkige jongen omdat ik geen coca-cola mag drinken.' Een absurd antwoord. Vroeger was ik dol op zulke gesprekken. Nu beginnen ze mij te irriteren.

'Ik ben zéker niet bang', voegt hij er stoer aan toe.

Nee. Hij wil zich wreken en wil dat niet toegeven. Geen vrijpartij, geen oma.

Zijn donkere ogen zijn twee zwarte kolen. Ik geloof dat ik eerst op die ogen verliefd ben geworden en pas later op de pukkels.

'Je haar zit leuk', zegt hij, terwijl hij zijn T-shirt over zijn hoofd trekt.

In mijn ene droom kreeg jij vleugels en in mijn andere droom moest ik jou in elkaar puzzelen, wil ik hem vertellen, maar ik hoor papa's motor ronken.

Door het raam zie ik hoe hij zijn rolstoel openvouwt en zich uit de wagen hijst om zich daarna in de stoel te laten vallen.

'Ga je nu mee of niet?' blijf ik aandringen.

Aan de trap roept papa dat hij pizza's heeft besteld.

Het klinkt allemaal heel normaal, maar ik weet hoe uitgeput hij is.

Simon trekt zijn jasje aan.

'Natuurlijk ga ik met je mee.' En toch is hij een schat.

'In het tehuis staat een cola-automaat', zeg ik. 'Ik trakteer.'

Hij glimlacht. Het grapje is niet écht geslaagd.

'En we moeten eerst nog naar de bloemenwinkel. Om tulpen.'

Simon knikt gehoorzaam.

'Sorry, paps,' roep ik naar beneden, 'Simon is hier en we fietsen naar oma. Ik warm mijn pizza straks wel op.'

Oma's hoofd is een vriendelijke maan. Aan het uiteinde van het bed steken haar voeten uit het laken als een vredesteken.

'Hé, oma, lig je er al in?' zeg ik zacht. Ik druk een kus op haar haarlijn. Het is nog maar halfzeven.

'Straks vat ik nog kou aan mijn voeten', antwoordt het hoofd. Haar ogen draaien naar de jonge onbekende, een held uit haar zeemzoete romannetjes.

'Is dat je ridder?' vraagt ze en ik knik enthousiast.
'Dat is Simon.'
Oma's verzorgster, Mensje, heeft haar grijze haren naar achteren gekamd. Het staat haar best leuk. Mijn ridder zet negen witte tulpen in een vaas.
'Zal ik je rug masseren?' vraag ik.
'Als je tijd hebt...'
'Altijd tijd voor jou oma', zeg ik rustig. 'Waar is de olie? Simon, geef me die tube eens, daar bij het venster. In het hoekje.'
In een ouderwetse bloemetjeslijst ben ik vier jaar gebleven. Een indiaanse kleuter met spleetogen die in de zon kijken.
'Kijk eens, Simon, hoe lief ik was', zeg ik terwijl ik mijn handen inwrijf met olie. Simon neemt de foto van het nachttafeltje en glimlacht.
'Ze is nog altijd lief', zegt oma. 'Is het niet, jongen?'
'Zeker', mompelt hij.
De massage doet haar deugd, dat zie ik aan haar twinkelende oogjes.
'Moet hij luider, oma?' vraag ik, als ik mijn gladde handen afveeg aan een handdoek.
'Wat?'
'Moet je hoofdtelefoon luider?' Ze knikt dankbaar.
'Ik wil *The Sound of Music* nog eens zien.'
Sinds oma weet dat het aantal hartaanvallen bij verzorgers is toegenomen, wil ze niemand tot last zijn en kijkt ze bijna de hele dag tv.
Als ik de gordijnen dichttrek, hoor ik haar tegen Simon zeggen: 'Blij dat jij er bent, jongen. Maar Ellen heeft vooral haar mama nodig, denk je niet?'
Azijn op de wond, maar ik houd mijn mond. Ik durf nu zeker niet over Herman te beginnen.
'Elf jaar cel', gaat zij verder, terwijl ze uit het bed klautert om de video van *The Sound of Music* te nemen. 'Mijn god! Dat zijn elf rimpels meer.'
Ik zie hoe ontzet Simon naar haar kromme rug kijkt. Ze gaat pal voor hem staan, neemt zijn handen in de hare en zegt: 'Ik heb er nu al vier horizontale op mijn voorhoofd en één verticale van mijn haarlijn tot aan mijn neus.' Ze duwt haar kin tegen zijn borst.
'Zie je ze?'
Simon slikt en antwoordt beleefd: 'Ja.'
Ik kijk in oma's slimme ogen. We lachen allebei om Simons onbeholpenheid.

‘Jij bent een goede jongen’, grinnikt oma. Ze glimlacht haar huid in groefjes als ik zeg dat we maar eens opstappen.

Dan komt Mensje binnen, een ballonnetje dat vrijwillig ronddanst. Ze loopt meer in de weg dan dat ze zich nuttig maakt.

Haar zinnen zijn zo kort als haar lengte en zo gemakkelijk als haar luchtige verstand. Maar ze is populair.

‘Goedenavond.’

‘Goedenavond’, zeggen Simon en ik in koor.

‘Al naar het toilet geweest?’

Oma wuift Mensje weg. Ze kijkt mij wat droevig aan.

‘Ellen?’

‘Ja, oma?’

‘Geef mama een kus van mij.’

Als ik de deur sluit, hoor ik Mensje zeggen: ‘Kom, eerst pipi doen of ik zet de tv af.’

We zitten naast elkaar in de bus. Simons bovenlip raakt mijn oorschelp.

‘Wist jij dat oma eigenlijk zes kinderen wilde? Ze kreeg er twee. Mama’s zusje is gestorven op de dag van haar derde verjaardag. Zij had een waterhoofdje.’

‘Heeft je mama dat verteld?’

Plotseling voel ik de paniek als een vloedgolf over me heen komen en zwijg geschrokken.

Zou dit misschien ook een verzinsel van haar zijn?

‘Ga verder’, zegt hij. Ik geloof niet dat hij mijn twijfel aanvoelt.

‘Soms was haar hoofd zo zwaar dat zij het met haar kleine handjes niet meer kon vasthouden. Zij heeft nog net drie kaarsjes kunnen uitblazen. Toen oma terug in de keuken kwam, lag dat hoofd voorover op de tafel. Het was haar mooiste kind.’

‘Wat een gruwelijk verhaal. En een tikkeltje...’

‘Een tikkeltje wat?’

‘Ongeloofwaardig.’

‘Ja.’

‘Waarom loopt je oma zo krom?’

‘Kan je een familiegeheim bewaren?’

Hij steekt twee vingers tussen zijn tanden en bijt. Ik hou plotseling heel veel van hem.

'Herman, mama's stiefvader, duwde haar van de trap.'
'Och.'
'Opzettelijk. Dat was een verschrikkelijke vent. '
'Waarom deed hij dat?'
'Weet ik niet. Mijn mama vertelt niks over die periode uit haar leven. Zelfs niet in de rechtszaal. Alleen dat van die trap heeft ze prijsgegeven. Haar advocaat heeft op basis van dat ene element proberen aan te tonen wat een ellendige jeugd zij gehad moet hebben.'
'Misschien verzweeg ze nog ergere dingen.'
'Hoezo?'
'Om je oma te sparen.'
'Best mogelijk. Het gekke is dat oma het hele verhaal heeft ontkend. Onder ede. *Herman duwde me niet*, zei ze. *Ik viel gewoon over zijn pantoffels*. Maar daar geloof ik niks van.'
Simon perst zijn lippen op elkaar.
'Wat is er? Waarom zeg je niks?'
'Ik heb het gevoel dat...'
'Wat?'
'Dat je oma ook geen watje is...'
'Ja, soms denk ik dat ook. Als ik mama bezoek, laat ze meer en meer dingen over vroeger los. Maar dat is te laat, natuurlijk. Ze heeft haar straf al gekregen. Er is niemand meer om haar te verdedigen.'
'Alleen jij bent er nog.'
We zwijgen even.
'Simon?'
Hij bijt in mijn oorschelp.
'Als oma dood is, moet jij viool spelen in de kerk. Dat heeft ze graag.'
Ik kijk naar mijn spiegelbeeld. Het is inmiddels stikdonker geworden buiten. In de bus zit niemand meer.
Simon legt zijn hoofd op mijn schouder.
'Ik speel het mooiste vioolstukje dat ik ken', fluistert hij.
De kleine putjes in zijn wangen en de vlekken op zijn kin maken hem zo onvolmaakt en zo aantrekkelijk als oma.
'En weet je wat?'
'Wat?'
'Je mag je haar zeker nooit kleuren.'
Ik steek mijn tong naar hem uit.

‘Ik vergat je op een cola te trakteren’, zeg ik. ‘Mag ik mee naar jouw thuis?’

‘Je vergeet je pizza.’ En papa.

Bij de bushalte omhelzen we elkaar.

‘Dag mijn lieve Colombiaantje’, fluistert hij in mijn nek.

Als ik thuiskom, brandt er een kleine schemerlamp in de hoek. De schoonheid van onze woonkamer verrukt me.

Papa schenkt me een glaasje witte wijn in.

‘Papa,’ zeg ik, ‘vertel nog eens hoe jullie mij geadopteerd hebben.’

Ik ken het verhaal uit mijn hoofd, maar ik wil het nog eens horen. ‘Zeventien jaar geleden bleek uit een onderzoek dat mama onvruchtbaar is. Het was een schok. Mama broedde in plaats van een foetus een slim plan uit. Vrouwen zijn listig. Zij leven langer dan mannen omdat ze zo kunnen doorzetten. Volharden. Op een zonnige zomerdag stelde mama me voor om een kindje te adopteren. Ik begon ijverig Spaans te leren en er werd een lastige procedure opgestart.

Zo moesten er bijvoorbeeld veel documenten in orde worden gebracht. Toegegeven, dat heeft vooral mama gedaan. Consuls, ambtenaren van Buitenlandse Zaken, ze speelden allemaal een beetje koning. Ondertussen had ik je foto op mijn netvlies gebrand. Met kerst lag achter de spijlen van je bed een eenzame knuffel. We mochten je nog steeds niet halen. Mama werd gek van verlangen. Ze zei: Mijn buik is hard en mijn rug doet pijn, het kan niet lang meer duren. Enkele dagen na nieuwjaar kregen we toestemming om te vertrekken.

Boven het grillige Mexico kregen we ruzie. Je mocht niet gedoopt worden. Ik vertelde haar dat ik wist dat de toestemming van één ouder volstaat. De hele vliegreis bleef zij koppig zwijgen.

In Colombia was de lucht zwoel en rook je het bloed van de Spaanse veroveraars. Op de luchthaven ontmoetten we zuster Rafaëlla. Ze zag eruit als een vinnige verpleegster op een slagveld. Het klooster was een veilig bastion. De zusters plukten de kinderen van de straat en brachten hen met de bus naar de les. We reden door de chaos. Langs de weg lag een dode man. Dan staken we de straat over. Mama zocht een zebrapad, maar er waren zelfs geen verkeerslichten. Een kleine jongen met een doos schoensmeer liep mij achterna. Nee. Mijn schoenen zijn proper, zei ik, terwijl mama de jongen flink wat geld toestopte. In het klooster stak jij je handjes naar mij uit. Daarna legde jij je hoofd op mijn schouder. Dat heeft mama je nooit vergeven, denk ik. Op je bloemenjurkje drupten mijn tranen.

Veertien dagen bleven we in Colombia. Op de terugreis, in de luchthaven, legde ik een blauwe deken over je hoofd en kuste ik de nonnen, die langzaam wuivende stipjes werden, vaarwel. Je had het snuitje van een marmotje. En mama noemde je van in het begin al Motje. In Zaventem werd je wakker: een Belgische staatsburger met indiaanse oogjes. Je heerste rustig over ons huis. Als een koningin. Het waren onze gelukkigste jaren.'

'Papa?'

'Ja?'

'Je was dus gek op me?'

'Natuurlijk was ik gek op je.'

'Op mijn proletariërkop?'

Zijn mond valt open van verbazing.

'Wát zeg je?'Zijn mond blijft openstaan.

'Je wilde geen kinderen van mama, want dan zouden die de proletariërkop van opa gehad hebben. Of het lelijke gezicht van oma.'

Papa's ooglid begint te trillen. Ik sla hem nauwkeurig gade. De witte wijn stijgt naar mijn hoofd. Mijn slapen bonzen een beetje.

Dan begint hij luid te lachen.

'Waarom lach je?'

'Heeft ze dat écht gezegd, Ellen? Proletariërkop?'

Ik knik. Voel me een beetje boos worden.

Hij slaat zijn hand tegen zijn dode knie. Zijn bovenlichaam begint te schokken van het lachen.

'Proletariërkop! Hoe haalt ze het in haar hoofd?'

Door de lach hoor ik verdriet en woede.

Toch voel ik mij zo licht als een veertje.

Het is niet waar. Geen puppy, geen koffer. Geen proletariërkop. En dus ook geen zusje met een waterhoofd.

8

> Binnen deze gevangenis krijgt u kansen, want er worden activiteiten georganiseerd.

'Hij zit nu in een pleeggezin', vertelt Kaat. 'Voorlopig mag ik hem niet zien. Hij weet dat zijn moeder stout is geweest. Dat hebben ze hem voorzichtig verteld.'

Familieleden mogen aan groepsgesprekken deelnemen. Ik doe mee. Pierre zit tussen ons in met een schrijfmap op zijn knieën. Tinne doet alsof ze slaapt. Mama zegt terwijl ze in mijn vingers knijpt: 'Vergat ik vorige keer te zeggen. Bedankt voor het linnen tafelkleed, schat. Ik haat plastic in mijn cel.'

'En toch was het mijne mooier', zegt Kaat, die tegenover mama zit. 'Plastic of niet. Er stonden tenminste bloemetjes op.'

Mama bijt op haar nagels. Haar monkellachje staat me tegen. Mijn tenen krullen zich in mijn laarzen. Ze buigt zich een beetje voorover en zegt glimlachend en luid, zodat iedereen het kan horen: 'Kijk, Motje, dát is nu het verschil tussen Kaat en mij. Plastic en linnen.'

'Nee', zegt Kaat en ze werpt haar hoofd in haar nek. 'Het verschil tussen ons is: eerlijk en oneerlijk.'

Als gebeten springt mama op.

Pierre probeert het gesprek af te leiden. 'Rustig, dames.'

Hij is net als ik bijzonder gevoelig voor spanningen die zomaar uit het niets komen.

Mama's wijsvinger gaat op en neer, richting Kaat.

'Weet je dat ik jou kotsbeu ben? '

Haar vijand pantsert zich: 'O ja?'

'Ja! Je laat zure winden, je kleedt je uit alsof je alleen bent in de cel, je poetst je tanden amper één keer per week en je zeurt maar door over je zoon.'

Kaat laat haar handen uitdagend over haar heupen glijden, toont het puntje van haar tong en zegt uitdagend: 'Wat is er, Marleentje? Val jij op mij, misschien?'

De aanval is begonnen. Tinne opent haar ogen.

'Je bent een walgelijk mens', zegt mama koel.

Ik wil weggaan, maar Pierre geeft een teken dat ik moet blijven.

'Wie kwaad wordt, geeft zijn ongelijk toe.' Mama's hoofd wordt langzaam rood.

'Misschien had je man je wel door. Help: mijn brave echtgenote valt op vrouwen.'

Mama kruist haar armen. Ik kan alleen maar schaamte voelen.

'Sorry, Pierre. Sorry, Motje. Einde van dit kringgesprek. Einde van alles.'

Maar daar neemt Kaat geen genoegen mee.

'Wow! Wacht! Dit is niet eerlijk. Ik vertelde over mijn zoon.'

'Ja', mompelt mama. 'Toffe verhalen. Hoe jij je sigaretten op zijn rug uitdoofde.'

Kaat veert recht. Woedend nu.

'Wát zeg jij daar allemaal?'

'Geen wonder dat ze hem in een pleeggezin hebben gestopt. Met zo'n levensgevaarlijke zottin van een moeder.'

Het is even stil nu.

'Kaat heeft tenminste geen moord op haar geweten', zegt Tinne.

Ik kijk door het raam. Buiten parkeert een witte bestelwagen met blauwe letters: *Elektro John.*

De chauffeur laat de motor ronken.

'Ik wilde hem alleen maar straffen', fluistert mama.

'Dat is hetzelfde. Je wilde hem doden. Met gif', zegt Kaat.

Ik houd mijn adem in.

'Nee!' gilt mama. 'Ik wilde hem alleen straffen.'

Ze staart naar één punt op de grond.

'Ga verder', hoor ik Pierre zeggen. Zijn stem klinkt diep.

'Ik schilde aardappelen, haalde zalm uit de diepvriezer en sneed het witlof fijn. *Je zal het zonder je dikke vriendje moeten stellen*, siste hij voor de honkbalknuppel als een huis op mijn nek viel.'

'Sloeg papa jou?' Ik zit op het randje van mijn stoel. Het hout snijdt in mijn billen.

'Ja.'

'Met een honkbalknuppel?' Sensatiebeluste Tinne.

'Hij sloeg me. Ik viel bewusteloos neer. Het voelde aan als een honkbalknuppel.'

'Geen wonder dat je meppen kreeg', zegt Kaat schamper. 'Je had dus een dik vriendje.'

Mama kijkt naar een stofje op de grond.

'Drie weken maar. Tegen hém kon ik alles vertellen.'

'Wát kon je hem vertellen?' vraagt Pierre. Zijn stem klinkt bijzonder zacht.

'Over mijn vader. En de schommel. Hij luisterde en begreep me. Het had niks met seks te maken.'

Ik denk aan de magneet van de dikke man tegen onze koelkast. En plotseling weet ik het weer: de dikke man was mama's minnaar. Ik heb drie weken in zijn huis gewoond.

'Maar ik ging terug naar huis. Mijn man heeft het nooit kunnen verkroppen.'

'Sloeg hij je vaak?'

'Toen ik bijkwam gaf hij mij een glas water. Terwijl hij mijn zwellingen verzorgde, werd het avond en ochtend en floten de vogels weer. Eén keer. Nee, twee keer. Twee keer sloeg hij mij.'

Kaat steekt het topje van haar duim in haar mond.

'Als het dan toch allemaal zo verschrikkelijk was...' Ze klinkt als een stout kind, '... waarom ben je niet voorgoed van hem weggegaan?'

Ik klem mijn tanden op elkaar.

Als in een vertraagde film draait mama haar hoofd naar mij. Ze kijkt ze me zo liefdevol aan dat het pijn doet.

'Vertel rustig verder, Marleen', zegt Pierre, die niet eens zijn balpen durft te nemen.

''s Morgens breng ik Motje naar school, wrijf ik met een stofdoek over randen van plinten, tafelpoten, buizen en stoelen.'

Mijn lichaam komt langzaam los van mijn geest.

'En verder?'

''s Avonds wacht ik op het geluid van de sleutel in het sleutelgat en maak ik mezelf wijs dat we gelukkig zijn. Die andere was een vergissing, lieg ik, terwijl ik stil en bloot tegen zijn lijf aankruip.'

Het is alsof ik door de kamer zweef.

'Ga verder.'

'Mijn man dwingt mij slaappillen te nemen. De volgende ochtend lig ik half bewusteloos in bed.'

'Hoezo? Wat was er dan gebeurd?' Pierres warme stem is die van een soort God de Vader.

'Ik hoor onze huisdokter zijn neus snuiten en mijn man in mijn oor fluisteren: Marleentje, het vel van je buik lijkt op dat van een verdroogde sinaasappel.'

Als versteend zit ik op mijn stoel. *Verdroogde sinaasappel.*

'Ik zweet', zegt mama.

Er valt een stilte.

'Draai de radiator lager', hoor ik Tinne zeggen. 'Het is hier om dood te vallen.'

Ik kan niet vluchten. Mama's woorden dwingen me te blijven.

'Mijn man laat mij "onderzoeken" door een psychiater, een hippie met een ongewassen gezicht die in kleermakerszit voor mij zit. Mijn afkeer slaat om in medelijden als ik zie dat hij kaal wordt.'

Zelfs Kaat luistert nu aandachtig.

'Ik vertel die psychiater dat iedere vrouw mijn echtgenoot mag hebben: zijn vuile sokken, zijn grillen, zijn gebrek aan tijd voor wat echt belangrijk is. Hij laat een walmpje tabak achter en loopt op espadrilles van mij weg. Er staat in mijn dossier dat ik evenwichtiger ben dan de dalai lama.'

Mama hoest. Dan kijkt ze me recht in de ogen.

'Dit is écht waar, Motje.'

'Je zei: zijn gebrek aan tijd voor wat écht belangrijk is', zegt Pierre zacht. 'Wat bedoel je daarmee, Marleen?'

'Op een dag zitten we in een Pizzahut en knijpt hij in mijn vingers tot die kraken...'

'Ga verder.'

'*Hoe oud ben ik geworden?* vraag ik. Geen antwoord. *In welke klas zit onze Ellen?* Geen antwoord. *Wie is het beste vriendinnetje van onze Ellen?* Geen antwoord. Dat bedoel ik met wat écht belangrijk is. Onze Ellen is écht belangrijk.'

Het wordt allemaal zwart voor mijn ogen. Dit klopt een beetje met het beeld dat ik van papa heb.

'Vier maal acht is tweeëndertig, Ellen. Acht paarden op vier poten. Zo kan ik het onthouden. Tweeëndertig poten. Ga nu maar oefenen in een andere kamer. Papa heeft eigenlijk geen tijd voor zulke onzin.'

Hij leerde me de klok lezen in zijn auto terwijl hij naar klanten reed. De volle en halve uren. Kwartier voor, kwartier over. De minuten en de moeilijke digitale klok waren voor mama.

Pierre haalt een glas water voor me. Tinne is weggelopen. Kaat durft geen enkele confrontatie meer aan.

'Die morgen in februari boort Motje met haar wijsvinger gaatjes in haar boterham en zie ik haar schouders door haar trui steken. *Eet je bord leeg, Ellen*, zegt hij. Zij propt een boterham in haar gezicht. Ik weet nog dat ik dacht: Motje heeft een écht indiaans gezicht: hoge jukbeenderen, amandelvormige ogen. Wat is ze mooi. Wat hebben wij een mooi kind geadopteerd. Vind je haar niet mooi, Pierre?'

'Heel mooi', klinkt het hees.

'Ik spoel mijn gedachten met warme koffie en terwijl ik zijn boterhammen beleg met gif, denk ik terug aan de schommel.'

Mama kijkt los door mij heen. De witte bestelwagen rijdt weg.

'Je hebt de schommel toch niet verkocht, Motje?'

Ik zit als verlamd op mijn stoel. Te geschrokken om mijn hoofd te schudden. Waarom komt ze daar steeds op terug? Wat betekent die schommel voor haar?

'Weet je dat jouw opa me duwde op de schommel toen ik nog een heel klein meisje was? *Hoger meisje, hoger!* Met mijn benen wilde ik de wolken raken. De lucht werd ijler en kriebelde. Ik vloog richting zon, maan en sterren.

Ik val van de aarde, vader!

Er vliegt een dappere kleuter door de lucht, lachte hij.

Oma rende naar buiten en timmerde met volle vuisten op zijn borst. *Zot! Marleentje verongelukte bijna.* Maar om mijn vader niet teleur te stellen pompte ik kracht bij. Mijn vingers schoven over de touwen. Als een tevreden dode lag hij in het gras. Ik zette mijn voetjes op zijn buik. Ze tintelden nog. *Wakker worden, vader! Je doet maar alsof.* Eén oog ging open en hij vloekte als een kwajongen. *Je schommelde niet hoog genoeg*, zei hij. *De hele straat moet jou kunnen zien. De hele straat moet weten dat ik een dochter heb die kan vliegen.*'

Mama kijkt naar de punten van haar schoenen en strekt haar benen uit.

'Zo'n leuke vader had ik.'

Even wil ik dat ze ophoudt met praten.

‘Je had het over de boterham en het gif...’ zegt Pierre.

Opluchting en gif, denk ik plotseling. Ik kan een speld horen vallen. Zal ik nu eindelijk te weten komen wat er precies gebeurd is?

‘Hij slikt zijn brood door en legt er letterlijk het hoofd bij neer’, zegt ze.

Ik ben er zeker van dat ze vergeten is dat ik naast haar zit.

‘Een prachtige zilveren bol in het morgenlicht. Ik ruim de tafel af. Ellen is naar school.’

Zal ik nu eindelijk te weten komen waarom mama mijn papa dood wilde?

‘Als ik denk dat hij niet meer ademt, loop ik in paniek naar de buurvrouw. *Help, mijn man doet zo raar*, zeg ik. De buurvrouw belt de ambulance. In de ziekenwagen hebben ze hem gereanimeerd. Als er geen grondig onderzoek was gebeurd, had men het nooit geweten.’

Ik sta recht en verlaat de zaal zonder iemand te groeten. Voel me moe en leeg. De middag heeft zich als een slak voortgesleept en laat iets kleverigs achter.

9

Mama is de zon en ik ben de stralen. Het is warm in het klasje. In mama's donkere zonnebril zie ik de boos opgestoken wijsvinger van de juffrouw van het derde leerjaar. Ze zweet. Mama glimlacht. Ik kijk naar haar. Zij is plotseling een roze pelikaan geworden. Ze spreidt haar vleugels over mij en buigt haar nek in een S-vorm.

'Papa?' Ik wacht bij de toiletdeur tot hij zijn behoefte heeft gedaan.

'Ja, Ellen?' Het hindert hem dat ik daar sta, maar er zit niets anders op: ik blijf zijn persoonlijke verzorgster.

'Wat weet jij over pelikanen?'

'Pelikanen?' Misschien denkt hij dat ik zomaar ergens over begin om het gênante van de situatie van mij af te praten. Gelukkig kan hij zelf zijn billen afvegen.

'Waarom wil je dat weten?'

'Zomaar. Spreekbeurt voor school', lieg ik. En ik voeg er gauw aan toe: 'En jij weet alles over vogels.'

Stilte tot hij doorspoelt.

'Het roze pelikaanwijfje legt eieren die door beide ouders worden uitgebroed. Men dacht vroeger dat moeder pelikaan in tijden van voedselschaarste haar jongen in leven hield door ze met haar eigen bloed te voeden. Ze zou dat doen door haar borst open te rijten', zegt hij terwijl hij op de binnenkant van de deur klopt.

'Hm...' zeg ik en ik zie hem hulpeloos op de rand van de wc zitten, 'de pelikaan is dus het voorbeeld van opofferende moederliefde.'

Ik wacht op een teken om hem in zijn stoel te hijsen.

'Dat zou je zo kunnen stellen, ja. Draai mijn rolwagen naar me toe...'

Het went nooit.

'Over moeders gesproken... Mama vertelde me gisteren dat zij ooit drie weken een andere man heeft gehad. Heb jij die man ooit gezien?'

Hij hijst zich recht aan de beugels in de muur waardoor het lijkt of hij op zijn benen staat.

'Mama is ooit opgenomen geweest in een psychiatrisch ziekenhuis. Jij was nog klein.'

'Ik weet het.'

Hij kijkt me verbaasd aan.

'Hoe weet jij dat?'

'Dat vertelde zij mij ook. Gisteren.'

Ik trek zo snel mogelijk zijn broek op, grijp hem onder zijn oksels en zet hem in zijn stoel. Het lijkt wel of hij iedere maand kilo's zwaarder wordt.

'Maar wat heeft die opname met die man te maken?' vraag ik. Soms hangt papa als een cape van lood over mij, moe en radeloos.

'Mama gedroeg zich vreemd toen jullie terug bij mij kwamen wonen. Ze praatte de godganse dag over haar vader. Echt abnormaal.'

De man met de espadrilles kwam tot de conclusie dat er niets met haar aan de hand was. *Evenwichtiger dan de dalai lama.*

'En toen?' Hoe de minnaar in het plaatje past, is mij nog steeds niet duidelijk.

'De psychiater sprak over een ernstig elektracomplex.'

Ruw en zonder schaamte rits ik zijn broek dicht. Geen dalai lama dus.

'Elektracomplex? Wat wil dat zeggen?'

Hij merkt wel dat ik stilaan boos word, maar antwoordt rustig: 'Het elektracomplex bij meisjes is de tegenhanger van het oedipuscomplex bij jongens. Het is een innerlijk conflict.'

Griekse mythologie.

'Nu ben ik nog niet wijzer.'

'Elektra was de dochter van Agamemnon. Als die sterft, wreekt zij zich op haar moeder.'

'En wat heeft dat met mama te maken?'

'Mama's vaderbinding is ziekelijk van aard. Oma is altijd mama's rivale gebleven, omdat zij er de schuld van kreeg dat opa is weggegaan. Weggaan was voor mama hetzelfde als doodgaan. Mama begon haar vader te idealiseren. Haar bewondering voor hem grenst aan het... waanzinnige.'

Ik denk aan de puppy, de rit door de bossen en de duw van de trap. Allemaal wraakzuchtige fantasieën van een dochter die te veel van haar vader hield?

'Het fantaseren hield nooit op. Ook niet toen ik met haar trouwde.'

'Dus mama had helemaal geen minnaar?'

Hij wast zijn handen aan de kleine wastafel in het hoekje en plotseling krijg ik argwaan.

'Toch wel. Drie weken.'

De toiletruimte is enkele maanden geleden vergroot. Papa's vrienden hebben de muur tussen de gang en de wc uitgebroken en in het hele huis taluds gelegd, zodat papa vlot van de ene kamer naar de andere kamer kan.

'Als straf voor die drie weken liet jij haar onderzoeken. Mama's ontrouw moest een naam krijgen: elektra.'

Papa legt zijn natte handen gevouwen op zijn hoofd. 'Nee, Ellen!' roept hij wanhopig. 'Hoe kom je daar nu bij?'

'Ik denk logisch na. Ons gezinsleven is een labyrint en ik wil eruit.'

Ik zie zweetkringen op zijn lichtblauwe hemd. De blauw-gele strepen van zijn das golven over een beginnend buikje. Wie deed vandaag zoveel gel in zijn haar?

'Stop dan met ronddolen, Ellen. Je hoeft ook niet alles te weten.'

Mijn hart gaat wild tekeer. Wat houdt hij achter? Wat is zijn geheim?

'Mama is toch niet gek?'

Hij rolt naar zijn bureau en begint zijn verzekeringspapieren door te nemen. In het ebbenhouten bureaublad zie ik een schaduw van mezelf. Goed. Papa wil het dus blijkbaar niet over de dikke man hebben.

'Ik heb voor je gekookt', zeg ik nogal luid.

'Weet ik. Het was lekker.'

'Wat vond je lekker?' vraag ik. 'De aardappelen of het vlees?'

'Het vlees', zegt papa.

'Vreemd,' zeg ik en ik heb zin om het uit te schreeuwen, 'want we aten vis.'

Ik krijg het plotseling koud en verlang naar een troostend dekentje. Papa legt een vermoeide hand in de mijne.

'Sorry, Ellen. Vis. Het was vis, ja. Sorry.'

Hoe vaak heeft hij mama ontgoocheld?

'Mag ik jou binnenkort aan iemand voorstellen?' Hij lacht met dunne lippen en ziet er in een klap veel ouder uit.

'De kapster zonder complexen?'

De punten van zijn schoenen zijn dof en aan zijn wollen vest ontbreekt een knoop.

Mijn papa is eenzaam.

Terwijl hij aan de achterkant van zijn pen knabbelt, zegt hij: 'Je zal haar sympathiek vinden.'

Misschien is ze wel twintig jaar jonger of twintig keer mooier dan mama. Tranen rollen over mijn wangen.

'Kom, neem het schaakbord. Ik ga van je winnen.'

Ik schaak vaak met papa. Hij gedraagt zich dan als de koning van het bord. Deze keer mag de koning niet uitwijken of ontsnappen. 'Papa?' Eén pion bereikt de andere kant.

'Ja, Ellen?' Hij kijkt geconcentreerd naar de opstelling van de pionnen.

'Weet jij hoe Simon heet?'

'Is dit een strikvraag?'

'Hoe heet Simon?'

'Sjiemon met de nachtbeugel?' Triomfantelijk ruilt hij mijn pion voor een toren.

'Lach hem daar niet mee uit of je krijgt met mij te maken', zeg ik speels. Ik had hem nooit mogen vertellen dat Simon lispelt als hij zijn nachtbeugel vastklikt op zijn tanden.

Hij wil naar mijn vinger bijten, maar ik trek hem gauw weg.

'Jouw Simon heet... gewoon Simon.'

Met één armbeweging gooi ik de schaakstukken in de doos. Een pion en een toren rollen onder de sofa.

'Mama heeft gelijk', zeg ik. 'Jij weet niks. Niks van wat écht belangrijk is.'

Verbluft kijkt hij naar het lege bord, maar hij wordt niet kwaad. Ik denk aan de S-vormige nek van de pelikaan uit mijn droom. Simon, die in mijn dromen van mij wegvliegt. Wil mama mij duidelijk maken dat ik Simon aan het verliezen ben?

'Ellen', zegt hij zacht. 'Ik werk héél hard voor ons beiden. Dat ik je daardoor wat te weinig aandacht geef, spijt me erg. Zal ik op mijn blote knieën voor je vallen? Dat doet toch geen pijn.'

Ik denk weer aan de honkbalknuppel.

'Je had ook weinig aandacht voor mama', mompel ik. Hij antwoordt niet.

Ik zeg smekend: 'Mama was toch ook belangrijk?'

Dit is een fout gesprek, maar ik wil hem toch op de knieën krijgen. Figuurlijk.

'Heb je haar ooit geslagen?'

Papa trekt zijn gezicht in honderd plooien. Nog voor ik zijn antwoord afwacht, zeg ik strak: 'Je nam haar mee naar een Pizzahut omdat je haar verjaardag vergeten was.'

Heeft hij mama geslagen met iets dat op een knuppel leek?

'Is iemands verjaardag vergeten een misdaad? Ga zitten, Ellen.'

Liet hij na de honkbalknuppel een dokter komen?

'Ik héb mama een tijdje verwaarloosd, dat is zo.'

En heeft hij toen gezegd dat ze een lelijke sinaasappelbuik had?

'Heb je haar geslagen?' Vroeger boende mama zelfs het schaakbord. We konden ons spiegelen in de vakjes.

'Ik zag niet écht hoe ongelukkig ze was. Ik onderschatte het complex waaraan ze lijdt.'

'Heb je haar zo hard geslagen dat ze bewusteloos neerviel?'

'Bovendien kreeg ik het verschrikkelijk druk op mijn werk.'

Omdat hij niet op mijn vraag heeft geantwoord, loop ik weg. Hij hééft haar geslagen, maar misschien niet met een honkbalknuppel.

'Waar ga je heen?'

Misschien loop ik wel van alles weg.

'Naar bed. Ik voel me niet goed.'

'Oké', zegt hij. 'Als dat straks nog zo is, haal ik de dokter erbij.'

'Ik heb geen vertrouwen in onze dokter', mompel ik. 'Die ziet eruit als een uitgedroogde sinaasappel.'

Papa's ogen branden in mijn rug: heb ik hem schaakmat gezet?

'Ellen?'

'Ja?'

Ik draai mij niet om.

'Hij heet Van Dijck.'

'Vérdijk, papa. Simon Vérdijk.'

Het plafond is een draaischijf geworden, mijn oren suizen. Weerloos geef ik me over aan mijn misselijkheid. Even later lig ik als versteend op mijn bed. *Het roze pelikaanwijfje legt eieren die door beide ouders worden uitgebroed.* Ik heb het gevoel dat mama het allemaal alleen heeft moeten doen.

10

Het is donker en laat. Mama is een bult onder een slaapzak. Op mijn sokken trippel ik naar de keuken, daarna zweef ik naar buiten. Mijn grasparkiet heeft geen water meer.

Ik heb het voor mezelf uitgemaakt: voorlopig zet ik geen voet meer in de gevangenis. Met haar gruwelijke verhalen heeft mama twijfel gezaaid en dat neem ik haar heel erg kwalijk.

Haar droevige jeugd mag dan misschien voor verzachtende omstandigheden zorgen, zoals papa dat zo mooi formuleert, maar daar kan je niet alles op verhalen. In het groene leer van het assisenhof hield haar jonge advocaat een vurig pleidooi. Het hielp haar zaak niet vooruit.

'Ze is maar zes jaar écht kind geweest, dames en heren. Na de verdwijning van haar vader werd haar leven een hel. Ze zag met haar eigen ogen hoe haar stiefvader haar moeder van de trap duwde. En dit jonge, onschuldige meisje moest deze gruwelijkheden voor de hele wereld verborgen houden. Alleen tegen Sim en Sam, haar twee knuffels, kon dit eenzame kind vertellen hoe het kwam dat haar moeder kreupel verder door het leven moest.'

Ik herinner me nog de dramatiek in zijn stem, de pauzes na elke zin.

'Sim en Sam liggen in een doos op zolder. (pauze) Het zijn twee schapen, dames en heren. (pauze) Een wit en een zwart. (pauze) Het zwarte mist één oog. (pauze) Het zwarte schaap kent alle familiegeheimen. (lange pauze)'

Ik heb de hele zolder overhoopgehaald om vooral dat zwarte schaap te vinden. Misschien kan het mij vertellen waarom mijn mama mijn papa wilde doden.

Op de speelplaats van de school ontwijkt Simon mijn blik.

'Hé', en ik trek aan zijn mouw. 'Wat is er?'

Hij haalt zijn schouders op voor hij de klas binnenstapt.

De hele dag hangt zijn afwijzing als verstikkende rook om me heen.

Ik tel de uren af. Om halfvijf fiets ik met hem naar zijn huis. Hij zegt geen woord. Wil hij het misschien uitmaken?

'Ik wil weten wat je dwarszit', hijg ik, want Simon fietst als een gek door de straten.

'Goed', zegt hij als hij zijn fiets tegen de gevel op slot zet. 'Kom binnen. We gaan naar mijn kamer.'

Ik ben er niet gerust op. Het klinkt alsof ik zal worden verhoord. In zijn kamer is het koud en op de een of andere manier doet mij dat goed.

'Ik zie je te weinig', zegt hij. 'Je loopt altijd maar naar die gevangenis.'

Ik draai zijn ring om mijn vinger en kijk ongeïnteresseerd naar de posters tegen de deur: op één ervan staat Spiderman.

Op de rand van het bed concentreer ik me op zijn wereldkaart. De rode cirkel die hij rond Colombia heeft getrokken ontroert me.

'We zien elkaar toch elke dag in de klas', zeg ik zachtjes.

'Dat is niet hetzelfde. Dat weet je goed genoeg.'

'En wat is er mis met op bezoek gaan bij mijn moeder?'

Hij zwijgt. Ik praat verder.

'Je zal het misschien niet geloven, maar ik ben best trots op haar.'

Ik blijf een tijdje zonder iets te zeggen naar hem staren.'Trots op een gifmengster', mompelt hij na een tijdje.

Ik blijf zwijgen.

'Een hele week zoeken naar haar knuffels! Godverdomme. Je bent even gestoord als zij.'

Met mijn vingers duw ik mijn oren dicht. Dan ga ik bij het raam zitten en kras met een potlood in zijn kruiswoordraadselboek.

Simon ligt breed achterover op zijn bed en kijkt naar het plafond. Ik denk aan vorige lente toen onze lichamen aan elkaar plakten en hij uren naar mijn getater luisterde. Nu praat ik tegen dovemansoren.

'Je hebt mama nog maar één keer gezien. Ga mee zondag. We kunnen daarna samen...'

Hij kijkt mij ongemakkelijk aan.

'Samen wat?' vraagt hij. Het klinkt droevig.

Ik breng mijn hand naar mijn buik en voel hoe daar een stalen bol zit. Op zijn bureautje liggen twee boterhammen met kaas, zonder korsten.

Simon veert recht en grijpt mij bij mijn elleboog.

'Ga naar huis, Ellen', zegt hij. Ik voel zijn nagels in mijn vel. Plotseling denk ik aan mijn nachtmerries.

Wanhopig stroop ik mijn rok omhoog en zuig mezelf vast op zijn knieën.

'Sorry, Simon. Sorry. Ik zie je graag. Ik droom iedere nacht over je.'

Waarom vertel ik hem de waarheid niet? In bijna iedere droom vliegt hij van me weg. Waarom?

Als ik hem wil kussen, duwt hij me van zich af en val ik op de grond.

'Ben je gek geworden?' gil ik.

Mijn rok blijft opgeschort tot halfweg mijn billen. Ik verbijt de pijn van de val.

Zijn hand ligt als een dode vogel op mijn hoofd.

'Sorry', zegt hij. 'Kom, sta op. Het spijt me. Echt.'

Langzaam krabbel ik overeind.

'Misschien is het beter dat we elkaar even niet meer zien', zeg ik huilend als ik de deur achter mij dichtsla.

11

In zijn handen zitten veertjes. Hij draagt mijn boekentas als een stokbrood onder zijn arm.

Daarna schopt hij een steentje in de goot en wijst naar de overkant. De gevels van de huizen zijn in bonte kleuren geschilderd. Twee feeën met ogen als spiegels en een negertje met een bolle buik zwaaien naar ons. Ik voel hoe mijn tandje wiebelt tegen het puntje van mijn tong. Met zijn voet duwt hij tegen een afgebladderde deur.

Hij zet de boekentas tegen de muur. Ik dans op één been, terwijl ik mijn schoen uittrek. De muur veert als een trampoline en slingert mij naar de andere kant van de ruimte.

In het deurgat staat hij stil, met zijn rug naar me toe. En dan is er niets meer.

Ik plas in mijn bed. Het is twee uur 's nachts.

Gegeneerd maak ik van de natte lakens een bal.

Ik ben bang om in slaap te vallen en verder te dromen.

Wie was de man uit mijn droom?

Tegen een platgeslagen mug zeg ik hardop: was het Simon? Ik rol mij in foetushouding op de vochtige matras en val in een bodemloze slaap.

'Had je een onrustige nacht, Ellen?' vraagt papa aan de ontbijttafel.

'Ik droomde zo vreemd.'

'Nachtmerrie?'

'Nee. Niet echt.'

Papa zucht en kijkt bezorgd. Het wordt hem allemaal te veel.

'Papa...'

Zijn ogen zoeken de krant. Die leg ik altijd naast zijn glaasje fruitsap.

'Ja, Ellen?' Vooral het proces heeft hem oud gemaakt.

'Weet jij iets meer over mama's echte vader?'

'Hij haalde mama van school, kocht een brood, zette haar boekentas in de gang en verdween spoorloos.'

Papa ziet niet dat het bloed uit mijn hoofd wegtrekt.

'Hij zou naar de Verenigde Staten gereisd zijn. Per boot. Je mama heeft dat nooit kunnen verwerken. Dat vertelde ik je al.'

Hij hoort evenmin mijn oren suizen.

'Waar heb je de krant gelegd, schat?'

Moet ik hem dan vertellen dat ik de waarheid heb gedroomd?

Simon zou het misschien zo verklaren: in je onderbewustzijn sloeg jij je mama's verhaal op. Dat verhaal heeft ze jou waarschijnlijk ooit verteld, want het is het scharniermoment uit haar leven.

Papa schenkt voor zichzelf nog een kop koffie in.

'Simon en ik hebben het uitgemaakt, gisteren.'

'Dat spijt me echt, Ellen.'

Simon zal zeggen: 'Je herinnert je niet meer wanneer ze het je ooit verteld heeft, maar de harde schijf in je hoofd heeft alles geregistreerd: de boekentas, de geur van het stokbrood en het wiebeltandje. Je mama was zes. Dus het kan allemaal kloppen. Maar deze dromen zullen pas ophouden als je het verhaal op een diskette zet en ergens opbergt.'

Papa rolt naar zijn werkkamer.

'Zal ik je helpen met wiskunde?'

Heeft hij iets goed te maken?

Ik schud mijn hoofd.

'Het gaat wel.'

Ik haal mijn boek en mijn werkschrift uit mijn boekentas. Stellingen en formules maken algauw plaats voor een herinnering aan drie jaar geleden.

Mama ligt in bad. Ik maak mijn ogen op, want ik heb mijn eerste afspraakje. Door de spiegel kijk ik naar haar knie, die als een rots uit het water steekt.

Ik draai me om.

'Wat vind je ervan?'

'Te zwaar', zegt ze. 'Je bent maar dertien, Motje. En dus veel mooier zonder make-up.'

Ik ga op de rand van het bad zitten. Terwijl ik met mijn wijsvinger het lelijke litteken op haar knie aanraak, vraag ik of ze ooit is gevallen.

'Ik was ongeveer zeven jaar', vertelt mama.

'De nagels in de houten vloer van de woonkamer reten mijn knie open. De dokter op de spoedafdeling streek mijn krullen glad en vroeg of ik wilde kijken hoe het gat werd dichtgenaaid. *Knijp maar in je knuf-*

fels, zei ze. Oma zei dat ik een ijsje kreeg omdat ik niet had gehuild. Maar in de auto sloeg ze mij in het gezicht.'

'Waarom?' vraag ik.

'*Alsof ik een vuile slons ben, zo keek die idiote dokter naar je vieze beesten*, zei oma. Ik koelde mijn hand tegen het staal van de deur en legde die dan tegen mijn gloeiende wang. *Sommige moeders sterven*, fluisterde ik tegen Sam op de achterbank. De moeder van nummer 233 om het hoekje kreeg een hersenbloeding. Haar armen hingen slap naast haar lichaam en haar hoofd viel schuin opzij.'

Ik neem een washandje, wrijf het in met zeep en was zwijgend mama's rug.

Mama gaat voorover in het bad zitten en praat tegen het water.

'De volgende ochtend liep ik aan oma's hand naar school. Ze had mijn schoenen gepoetst. Haar adem rook naar koffie. Ze gaf me een kus omdat de juffrouwen keken. Komt vader vandaag naar huis? vroeg ik. Oma's vingers waren breipriemen in mijn rug. Ze duwden me richting veilig hoekje op de speelplaats.'

'Je schaamde je over oma.'

'Geef de shampoo eens aan. Nee, die andere. Dove. Twee in één.'

Mama wast haar haar in het bad en spoelt het later in de douche. Ze laat de shampoo even inwerken. Het schuimende hoofd keert zich naar mij.

''s Avonds wachtte ik op oma in de hal van de school. De kinderen van mijn klas renden de poort uit. Een kleuter klauterde in de nek van zijn papa. Aan mijn pols zat het horloge dat ik voor mijn communie van vader had gekregen: één met lichtende wijzers en een purperen bandje. Een slungelachtige jongen struikelde over zijn eigen boekentas en riep: *Stomme geit!* Met de rug van zijn hand veegde hij zijn neus af. Ik wachtte. De poetsvrouw van de school schuurde de hal met bruine zeep, trok het schuim naar het putje en dweilde met schoon water. Ik durfde mijn vuile voeten niet op de grond te zetten. *Kom maar, kleintje*, zei ze toen het donker werd, *je mammie is vast in slaap gevallen of zoiets*. Ze vroeg of ik chocolademelk wilde en tilde me hoog op, zodat ik het muntstuk in de gleuf van de automaat kon steken. Ik koos een rood rietje. Gulzig zuigend staarde ik naar haar bolle buik. *Zit daar een monstertje in?* vroeg ik. De tijden waren anders, Motje, je oma heeft mij nooit écht voorgelicht. Ik klom achteraan op haar Batavus, drukte mijn wang tegen haar wollen jas. *Is mijn vader mij voor altijd vergeten, juffrouw?* vroeg ik. *Dat denk ik niet, kleintje,* antwoordde zij. *Weet u misschien waar hij naartoe gegaan is? Nee, kleintje, dat weet ik echt niet.* Voor zij aanbelde, liet ik haar mijn horloge zien. In de deur stond oma met bloeddoorlopen ogen naar mij te kijken. Ze trok me aan mijn pols binnen. Op de tafel stond een fles cognac: ik rook aan het dopje en herkende de geur. Plotseling wist ik: vader komt nooit meer terug. Ik heb sinds die dag niet meer geschommeld.'

Ik blijf op de rand van het bad zitten.

'Ga weg, ik wil mijn haar spoelen. Je bent mooi, Motje. Je hebt dat potloodlijntje niet nodig. Veeg het af.'

'Ja', zeg ik.

Als ik de badkamer verlaat, lijkt mama op de Venus van Milo. Slank en elegant stapt ze over de badrand om zich af te drogen.

Ik probeer me opnieuw te concentreren op de stelling van Pythagoras. Maar dat lukt niet meer. Verdorie, ik moet shampoo voor haar kopen. *Dove*, twee in één.

12

> De gevangenisdirecteur is aansprakelijk voor de veiligheid van de inrichting en voor de toepassing van de reglementen.

Misschien moet ik maar eens opstaan en mij wapenen tegen mijn duizeligheid. Mama heeft me gebeld. Ze verwacht me vandaag tussen tien en twaalf.

Of ik morgen ook nog wil komen? Misschien.

Of ik boos op haar ben? Nee.

Of ik er op wil toezien dat de schommel niet wordt afgebroken? Ja.

Mijn buikpijn probeer ik te verslaan met twee aspirientjes. Een flauw straaltje zon dringt door de spleet van de gordijnen.

Het is bijna halftien. Papa leest een boek en vraagt of ik een kop koffie voor hem wil inschenken.

Ik leg mijn hand op mijn onderbuik. Hevige darmkrampen hebben mij uit mijn slaap gehouden. Sim en Sam heb ik nog steeds niet gevonden.

'Ga fietsen, Ellen', zegt papa, terwijl hij een bladzijde omdraait. 'Frisse lucht zal je deugd doen.'

Om hem te treiteren zeg ik:

'Oké, ik fiets even naar de gevangenis.'

'Goed idee.'

'Ik heb shampoo voor haar gekocht.'

'Hm...'

'Simon wil mij niet meer zien.'

'Begrijpelijk. Die jongen zal het ook beu zijn.'

Uitdagend ga ik voor hem staan, bijna met gebalde vuisten.

'Wat bedoel je daarmee?'

Papa legt zuchtend het boek in zijn schoot, haalt zijn bril van zijn neus en zegt: 'Mama vreet jou op, Ellen. Ze probeert een wig te drijven tussen jou en mij. Tussen jou en Simon. Heb je dat nu nog niet door?'

'Door de waarheid te vertellen?'

Papa's ogen kijken bikkelhard als hij antwoordt. 'Háár waarheid.'

Ik ben groter dan hij in zijn rolstoel en voel me ook zo.

'En wat hou jij voor mij verborgen, papa?'
Hij strekt zijn vingers. Een teken van zenuwachtigheid.
'Waarom moest jij dood? Wat had je mama misdaan?'
Hij kleurt tot in zijn nek. Ik weet niet of het van schaamte of woede is.
'Je hebt de rechtszitting bijgewoond, Ellen. Je kent de waarheid.'
'Ik was erbij, ja. Mama ging door het lint, is de officiële versie. Sorry, daar trap ik niet in. Ik heb haar ondertussen dikwijls genoeg bezocht. En ik kan je één ding zeggen: mama is niet gek! Ze wilde je straffen. Dat zei ze zelf. Wát heb jij gedaan, papa?'
'Luister nu eens naar me...'
'Nee', gil ik. 'Luister jij nu eens naar mij! Je sloeg haar. Twee keer zelfs. Is dat waar, papa?'
Ik weet dat ik te ver ga, maar om een of andere reden lucht deze razernij mij op.
Hij is nu heel bleek geworden.
'Je moet wel iets héél vreselijks gezegd of gedaan hebben. Wat was het, papa?' Ik stamp hysterisch met mijn voeten op de grond omdat hij zo ijzig kalm blijft.
'Wat was het? Zeg het mij!'
Zijn ogen worden vochtig en rood, maar hij knijpt zijn lippen op elkaar.
'Wat was het, papa?' blijf ik aandringen.
'Je mag je mama niet zo idealiseren. Ze kon ook vreselijk irritant zijn.'
'Mama was geen vreselijk mens!' gil ik.
'Kalmeer, Ellen.'
'Er lag ooit een gedicht op mijn kussen.
Lieve schat
wist je dat
ik trots op je ben?'
Ik begin te huilen. 'Soms verborg ze een appel of een chocoladereep onder mijn lakens.'
'Ik zeg niet dat ze een slechte moeder was. Integendeel.'
'Zij is verdomme trots op mij. Ben jij trots op mij, papa? Heb je mij ooit gezegd dat je trots op me bent? Niet één keer!'
Zijn nek staat vol vlekjes. Ik voel geen medelijden meer. Papa zegt rustig: 'Volgende week ga ik naar mama voor een herstelbemiddeling onder leiding van Pierre.'

Ik val stil. Herstelbemiddeling?

'Er moet gewerkt worden aan de verstoorde relatie tussen de dader, het slachtoffer en de samenleving. Mama is de dader, ik ben het slachtoffer en jij de samenleving.'

Het sarcasme in zijn stem scheurt me opnieuw in stukken. Maar dan zegt hij: 'Ga mee.'

Papa kijkt onbewogen naar zijn tenen. Dit komt niet meer goed: hij zal nooit meer kunnen lopen.

'Ik zal met mama praten', mompelt hij. 'Al was het maar om jou terug te winnen.'

'Ja, doe dat, papa.' Mijn stem klinkt iets zachter.

'En Ellen?'

'Ja?'

'Sommige dingen hoeven niet gezegd te worden. Die vóél je gewoon.'

'Ja, 't is goed, papa.'

Halve pastoor, godverdomme. Je weigerde te antwoorden, je sloeg haar. Ik voel het. Je sloeg haar.

Op de fiets voel ik me slecht. Waarom heb ik hem niet gezegd: Jij hebt al lang gewonnen. Het is mama die alles kwijt is: haar vrijheid, haar huis. Maar aan de gevangenispoort, als ik mijn gsm aan de cipier overhandig, bekruipt mij een gevoel van spijt. Heb ik mijn papa niet te hard aangepakt?

13

> Door het overtreden van de basisregels van het strafrecht, heeft u schade berokkend aan de samenleving. Het is hier ook aan u om uw verantwoordelijkheid op te nemen.

In mijn trommelvliezen echoot het geluid van een dichtgeslagen stalen deur.

Het is weer bloedheet in de spreekkamer. Ik kijk naar de lichtkegel die door het raam binnenvalt, hoor iemand een wc doorspoelen. Dan sloft Tinne binnen.

'Hallo.'

'Hallo.'

'Is mama er al?'

'Ze komt eraan.'

Tinne hikt.

'Niet op letten', zegt ze. 'Dat is van de medicijnen. Ik hik gemiddeld vier keer per uur. Dat is bijna vijftig keer per dag.' Ze lacht haar tanden grijs.

Ik heb geen zin om met haar te praten, maar ze komt dicht bij me zitten.

'Ik heb zelfmoord gepleegd', fluistert ze.

Mama zegt altijd: nooit mensen uitlachen die zich slordig uitdrukken. Ik kijk Tinne vriendelijk aan en denk aan de bloedende halsslagader van haar slachtoffer.

Ze wrijft over haar gezwollen buik. Een buik als een kokosnoot.

'Weet jij waarom ik hier zit?' Haar bleke gezicht wordt een witte vlek onder donker geverfd haar.

'Nee', lieg ik.

'Drugs.'

Dan komt mama binnen. Ze geeuwt. 'Sorry, Motje. Slecht geslapen. Kaat heeft de laatste tijd last van nachtmerries. Ze schreeuwt in haar slaap. Ik doe geen oog meer dicht.'

Er valt een stilte. Tinne schudt mijn hand.

'Dag Motje', zegt ze. En dat klinkt grappig. Zelfs papa noemt mij Ellen.

'Dag Tinne.' Geen gruwelijke moordenares dus. Weer een leugen. Tinne is een drugsdealer of drugssmokkelaar. Mama toch! Heeft dit allemaal te maken met haar elektracomplex?

'Ze wil een brief naar haar zoon schrijven', zegt mama.

'Wie?'

'Kaat. Ze kent het adres van het pleeggezin, maar ze vindt geen woorden. Die moet ik voor haar zoeken. Ze zegt: ik ben zijn moeder. Ik heb recht op een teken van leven. Recht? Ze heeft godverdomme een sigaret op zijn ruggetje...'

'Stil maar, mama. Je hoeft niet zo te gillen.'

'Ze sloot de jongen op in haar kast.'

'Stil, mama.'

'Wie doet nu godverdomme zoiets? Je zou haar moeten zien, 's avonds in de cel. In die rode nachtjapon lijkt ze wel een springbal voor kleuters.'

Ik denk aan Simon. Hij beweert dat het merendeel van de moorden plaatsvindt in familie- of kennissenkring. Vierentachtig procent van de vrouwen heeft ooit iemand willen vermoorden of heeft daar al een scenario voor bedacht. Mijn mama heeft zelfs het moordwapen zorgvuldig uitgekozen. Alleen bij de dosering liep het mis. Het was niet eens een passionele moord. Erger nog: ze had zelf een minnaar. Elf jaar opsluiting!

Alsof ze mijn gedachten raadt, zegt mama: 'Het is vandaag Aswoensdag. Het begin van de boetetijd. Ik geloof dat ik genoeg geboet heb. Vind jij ook niet?'

Misschien is mijn mama wel gevaarlijker dan een serie- of een kindermoordenaar. Ze heeft nergens spijt van en dát verontrust mij nog het meest.

'Heb je nog last van je buik? Het zit misschien wat in de familie. Oma had het ook en als ik nerveus ben, slaat het op mijn darmen. Gelukkig is men hier niet gierig met medicatie.'

Waarom heeft mama geen last van haar geweten? Omdat ze dan toch gestoord is?

'Simon is nooit bij je. Hij is toch niet boos? Hebben jullie ruzie? Motje, kijk eens naar mij. Is hij boos op jou?'

Ik antwoord niet. Het zijn haar zaken niet.

'Het komt wel goed', ratelt ze verder. 'Hij ziet jou graag en speelt viool, dat zijn twee garanties.'

Niemand is goed of slecht geboren. Misschien is mijn mama normaler dan de meeste andere mensen.

'Kaat mocht gisteren niet mee volleyballen omdat ze te rebels en gewelddadig is. En daarom trainde ik maar met Tinne.'

Nee, mama is niet volmaakt. Ze kan gemeen en brutaal zijn.

'Ik gooide de bal over het net en scoorde veel punten. Nadien zat ze naast me op een lage muur uit een flesje spa te drinken. Ik denk dat ze mijn zwijgzaamheid mysterieus vindt.'

Mijn verbittering richt zich tot mama. Ik besluit haar op de proef te stellen.

'Hm...Tinne,' zeg ik en ik word helemaal koud vanbinnen, 'dat is toch die vrouw die haar leraar doodstak?' Ik kijk ongeïnteresseerd naar mijn schoenen. Sinds enkele weken loop ik hooggehakt. Om Simon te verleiden, denk ik.

Ik hoor mama liegen. 'Tinne werd als jong meisje gepest op school. Een wiskundeleraar zei dat het haar eigen schuld was, omdat ze een brutale mond had. *Een beleefd kind wordt door iedereen bemind* plakte hij op haar bank. Hij zei midden in de les dat ze als een dom kalf was geboren en als een domme koe zou sterven. Het is dié leraar die ze jaren later te grazen nam.'

Ik kijk naar mama's handen die ze op haar dijen heeft gelegd.

'Ze zette het hem betaald.'

'Wie?'

'Die leraar. Door hem neer te steken.'

'Ja.'

Het ergste is: de gevangenis maakt geen beter mens van mama.

'In de halsslagader.'

'Ja.'

'En dat is de reden waarom ze nu haar straf moet uitzitten.'

'Er is geen andere reden? Of een ander misdrijf?' Ik zwijg en wacht rustig haar antwoord af.

'Nee.'

Papa heeft haar nooit geslagen. Dat staat vast. Ze haalt diep adem en zegt zuchtend: 'De eenzaamheid weegt zwaar. Alleen met jou groeien de gesprekken niet krom. Alleen als jij er bent, voel ik me goed.'

En dan roept ze als een hulpeloos kind: 'Ellen, ik wil naar huis!'

Ze slaat haar handen voor haar ogen en ik zie voor het eerst hoe oud die handen zijn.

'Dat gaat niet en dat weet je.'

'Pierre is zo'n onnozelaar. Hij zeurt maar door over verantwoordelijkheid en mensenrechten en kan mij niet uitstaan.'

Ik wil naar huis. Ze kijkt me smekend aan.

'Ga je nu al weg?'

'Ja. Ik moet nog studeren voor geschiedenis.'

'Helpt papa je wel eens?' Dit is de eerste keer dat ze naar hem vraagt. Ik wil haar toesnauwen: papa heeft last van lage rugpijn. Had je ook zijn rug niet kunnen ontzenuwen? Maar ik zeg kalm: 'Ja. Papa helpt mij goed.'

Ze kijkt dromerig voor zich uit en fluistert:

'Hij moet dringend de schommel eens vernissen.'

'Hoe kan hij nu de schommel vernissen? Denk toch eens na, mens!' Haar ogen worden groot.

'Oh! Da's waar. Wat zeg ik nu? Domme Marleen. Dan moet jij dat maar doen. Samen met Simon. Weet je nog hoe vaak ik je geduwd heb op die schommel? Hoog de lucht in?'

Ze glimlacht. Haar oorringen hangen dof in haar oren.

Ik word zo moe van haar.

'Dag Motje, mijn lieve schat.'

Zo moe van al die liefde.

Ik kus haar wang en denk aan het litteken op haar knie.

'Dag mama.'

14

Acht kaarsjes op de koekjestaart. Ik blaas twee keer, maar de vlammetjes blijven branden.

Wens doen! Stemmen uit de verte: wens doen!

Ik wil een nieuwe grasparkiet.

Je hebt niet hard genoeg geblazen! Het is de boze stem van papa. Hij trekt zijn jas aan.

De voordeur slaat dicht. Een oorverdovend lawaai. Uit de taart stroomt gesmolten gesteente naar buiten.

Mama schenkt een glas wijn in voor zichzelf. Akelige stilte.

Uit het washok haal ik een propere dweil, een emmer met water. Er is geen zeep. Maar schoon water zuivert alles. Ik schrob, wring en spoel tot mijn vingers rimpelen. Ik raap de inmiddels gesmolten lavabrokken van de vloer en verzamel ze als paaseieren in een grote mand.

Ik word wakker. Naast mij in zijn rolstoel zit papa in zijn koddige palmboompyjama.

'Je droomde wéér onrustig', fluistert hij en ik heb hem nog nooit zo bezorgd gezien. 'Ik denk dat je koorts hebt.'

Hij legt een koude hand op mijn voorhoofd.

'Ik had ooit een grasparkiet', zeg ik.

Papa knikt.

'Dat klopt. Droomde je daarover? Over je grasparkiet?'

'Ik wilde voor mijn achtste verjaardag een nieuwe.'

'Dat kan. Weet ik niet meer.'

'Want er was iets afschuwelijks gebeurd met mijn grasparkiet.'

Papa knijpt zijn ogen dicht.

'Zou kunnen. Mama woonde toen bij...'

'De dikke man.'

Mijn mond is kurkdroog.

'Het spijt mij dat ik zo tegen je tekeer ben gegaan', fluister ik.

'Nee... ik heb niet genoeg naar je geluisterd. Ik...'

Mijn hoofdpijn barricadeert zijn woorden.

Papa legt zijn hand op de mijne. Het is een verzorgde hand, met mooi rond geknipte nagels.

'Je kan beter enkele weken niet meer naar de gevangenis gaan. Je wordt er ziek van.'

Wat is er precies met mijn parkiet gebeurd?

Werd ik acht toen papa en mama weer bij elkaar waren? Blies ik écht acht kaarsjes op een koekjestaart uit?

'Ook Simon zegt dat het allemaal te veel voor je wordt.'

'Simon?'

'Simon.... heet hij niet Verdijck?' zegt hij schalks.

Ik glimlach triest.

'Hij komt vandaag naar hier. Ik sprak hem via de telefoon. Maar eerst nog enkele uren slapen.'

Ik bedenk plotseling dat mijn vader een moeder geworden is.

'Papa?'

'Ja, schat?'

'Onder de zetel liggen nog een pion en een toren. Vraag je even aan je vriendin of ze die in de schaakdoos wil leggen?'

Hij draait zijn rolstoel en knippert met zijn ogen om zijn tranen te verbergen. Mijn pantoffels staan in de weg. Ik zet ze normaal keurig onder mijn bed. Zo leerde ik het van mama.

'Vriendin?'

Ik zie hoe het zweet hem uitbreekt, als hij met de wielen van zijn rolstoel de pantoffels probeert weg te duwen. Het lukt hem. Als hij naar mij knipoogt, gebaar ik even naar mijn knuffelbeer aan het voeteinde. Die beer kreeg ik van hem. *Hij steekt zijn tong naar me uit als ik hem rechtop zet,* zei mama ooit eens. *Je moet hem betere manieren leren, Motje, of ik knip zijn vilten tong eraf.*

'Die vriendin die je haar knipt en je nagels verzorgt', zeg ik.

'Ik zal het haar zeggen', zegt hij. 'Slaap nu maar.'

Maar dat lukt mij niet meer.

Tegen het plafond danst een duistere schaduw uit het verleden: het is mijn papa. Hij is acht jaar jonger en hij struikelt over zijn voeten. Het maanlicht in de traphal maakt zijn gestalte nog dreigender; hij lijkt op een piraat die een schip wil enteren met de haak van een kapstok.

Ik hoor mama schreeuwen. En daarna huilen.

De volgende morgen liggen haar ogen diep onder het gezwollen vlees en smeert zij zwijgend een boterham.

Zonder mij aan te kijken, mompelt ze: 'Ik liep vannacht tegen de deur aan.'

Mijn kopje melk valt om. Overschot van koekjestaart in de koelkast. De kaarsjes staan er nog in. Ik besef plotseling dat mijn mama met zo'n gezicht niet naar het schooltoneel zal willen komen.

Heb ik de laatste acht jaar deze herinnering bewust verdrongen? Wilde ik niet weten dat er iets grondig misging tussen mijn mama en papa? Is zo'n elektracomplex misschien erfelijk?

15

> Er wordt u de kans geboden om concreet iets te doen voor uw slachtoffer.

De deuren maken een hels kabaal.

Voor mij strekt de gang zich uit als in een eindeloze droom. Als ik omhoogkijk, lijkt de balustrade op een wurgslang.

Mama wacht op mij.

Ze zit alleen aan tafel. Haar hoofd hangt een beetje naar beneden. Dan merkt ze mij op.

Ze kijkt dwars door mij heen, alsof ik een spook ben.

Haar pupillen staan wijd. Ik herken haar haast niet meer.

'Mama, ik ben enkele dagen ziek geweest', zeg ik aarzelend.

'Ze gaan me afvoeren', zegt ze traag, alsof ze mij niet heeft gehoord.

'Afvoeren?' Als een voorwerp of een beest.

'Naar de gekkenafdeling.'

Ik doe alsof ze een grapje maakt en herhaal haar woorden op een kinderachtige manier: 'De gekkenafdeling nog wel?'

Maar ze gaat in volle ernst verder: 'Ik moet voor een commissie komen. De Commissie ter Bescherming van de Maatschappij. En dat allemaal door die brief...'

Tranen wellen op achter mijn ogen. 'Welke brief?'

'... naar de minister van Justitie, Motje! Ik schreef de minister over de chefs en de cipiers die nooit luisteren naar de gevangenen. En je moet weten, Motje,' – mama wenkt mij dichterbij, haar adem ruikt een beetje naar medicijnen – 'ik deed dat allemaal voor mijn vriendin.'

'Welke vriendin?'

'Kaat.'

'En wat zegt die daarvan?'

Mama's mond wordt een koppige gedachtestreep. Ik herhaal de vraag.

'Kaat is een fantaste. Ze liegt.'

'Tegen wie loog zij dan?'

'Tegen de directeur.'

'Wat zei ze dan?'

Mama probeert de stem van Kaat te imiteren, maar het klinkt kinderlijk.

'Ik heb Marleen nooit gevraagd een brief te schrijven, mijnheer de directeur, omdat ik weet dat mijn vervroegde vrijlating in gevaar kan komen en ik dan misschien mijn zoontje niet mag zien.'

Mama slaat met haar hand op de tafel.

'Ze vroeg het me wel, Motje! De smerige teef.'

Mama steekt even vier vingertoppen in haar mond. Ik lees paniek in haar ogen. Alsof ze zich plotseling van haar vulgaire taal bewust wordt.

'En jij komt nooit meer op bezoek.'

Ik sla mijn ogen neer en zeg, een tikkeltje betrapt:

'Ik ben er nu toch.'

Ze kijkt weer dwars door mij heen. Op zoek naar mooie woorden. Maar ze hebben geen enkel effect meer op mij. De verbeten trek om haar mond heb ik nooit eerder gezien.

'Jij zwemt langzaam van mij weg zonder lucht in je bandjes. Gelukkig weet ik dat je de overkant zal halen. Zwem maar van me weg, Ellen. Ik hoef je zelfs niet meer te zien.'

Haar hoofd valt naar beneden als een rotte appel van een boom.

'... de afgebladderde muren van de cellen, de vieze wc's...' – ze snurkt een beetje – 'alleen maar koud water uit de douche... en Tinne, die dealt vrolijk door...'

In paniek loop ik naar de cipier en vraag wat er mis is.

'Je mama heeft tabletten gekregen', vertelt ze rustig. 'Daardoor klinkt ze verward vandaag.'

'Wat voor tabletten?'

De cipier pulkt met haar pink tussen haar tanden en denkt na.

'Kalmeringstabletten. Ze is heel vervelend geweest de afgelopen dagen.'

'Wat deed ze dan?'

'Ruzie zoeken. Met iedereen.'

'Heeft dat met mij te maken?' Ik durf haar niet aan te kijken.

'Hoezo?'

'Ik ben niet op bezoek geweest omdat ik ziek was.'

De vrouw legt een hand op mijn schouder en zoekt mijn ogen.

'Je mag je niet schuldig voelen. Je komt al zo dikwijls. Kijk naar je moeder. Ze is gewoon in slaap gevallen. Maak je maar niet ongerust.'

Wat ik zie, breekt mijn hart: mama slaapt rechtop. Haar onderlip steekt naar voren en ze kwijlt.

'Mag ik haar wakker maken?' smeek ik.

'Dat mag. Maar doe het voorzichtig, wil je?'

Zachtjes leg ik mijn hand op mama's haar. Ze knort door haar neus en schrikt wakker. Haar oogleden hangen zwaar naar beneden.

'Heb je nog buikpijn, Motje?' vraagt ze.

'Nee, mama. Alleen nachtmerries.' Ik zoek in de zak van mijn jeans naar een zakdoek, maar vind er geen.

Ze trekt me op haar schoot en slaat haar armen om me heen. Met mijn hand veeg ik het speeksel van haar kin.

Ik ben een versteende kleuter van bijna zeventien.

In deze vreselijke toestand treft Pierre ons aan. Hij strekt zijn arm uit.

'Kom, Ellen', zegt hij.

We stappen naar wat ze 'de spreekkamer' noemen.

Het ruikt er naar selder.

Ik ga zitten en kijk naar het dossier dat hij in zijn handen houdt. Staat daar misschien de waarheid in?

'Ik zie dat je haar dikwijls komt bezoeken', zegt hij vriendelijk.

Ik knik. 'Omdat ik dat zo wil.'

'Waarom wil je dat?'

'Is mama gestraft omdat ze een brief naar de minister schreef?'

'Heeft ze je dat verteld?'

'In opdracht van Kaat. Ze moet voortdurend schrijven in opdracht van Kaat. Eerst naar haar zoontje, daarna naar het ministerie. Is dat zo?'

Pierre glimlacht.

'Ja. Ze schreef een soort klachtenbrief naar Justitie.'

'In opdracht van Kaat?' Het antwoord is heel belangrijk.

'Ja, ik denk het wel. Hoewel Kaat dat ontkent. Maar ik denk dat Kaat liegt.'

Ik haal diep adem. Dit is dus waar.

'Mama heeft geheimen.'

'En die wil jij per se kennen?'

Zijn linkervoet rust op zijn rechterknie.

Als hij lacht, is hij mooier.

'Soms droom ik over die geheimen.'

'Wil je die vertellen?'

Ik weet het niet. Wat win ik hiermee?

'De droom heeft te maken met mijn grasparkiet.'

Hij leunt een beetje achterover. Laat zijn hoofd tegen de binnenkant van zijn handen rusten.

'Vertel.'

Hij schenkt voor zichzelf een glaasje water uit een kleffe fles.

'Jij ook?'

Ik schud mijn hoofd.

'Ik praat met mijn grasparkiet. Die wiebelt op zijn schommel. Op de grond liggen hulzen van zaadjes uit de voederbak.'

'Ga verder.'

Ik ben in de war. Is wat ik nu ga vertellen een droom of een herinnering? Heb ik dit echt beleefd?

'Ik trek een schort aan en stap met het kooitje naar buiten. De uitwerpselen met de lege zaadjes schud ik uit in het gras. Ik schrob het kooitje schoon. Algen uit het drinkbakje kleven aan mijn doek en mijn vingers. Iemand kijkt toe.'

'Weet je wie?'

'Nee, ik zie zijn gezicht niet goed. Alleen zijn naar binnen gezogen lippen.'

'Ga verder.'

'Het is koud geworden en donker. Mijn schort is nat.'

Er valt een stilte nu. Ik knijp mijn ogen stijf dicht en zie niets meer.

Tranen rollen over mijn wangen. Ik weet plotseling wat ik gedaan heb met mijn grasparkiet. Ik ben de dochter van mijn moeder: een gruwelijk mens.

Pierre wacht nog heel lang. Ik zeg niets meer.

Als hij zijn stoel naar achteren schuift, valt die om.

16

Is het mijn hand? Is het mijn vuist?

Ben ik het die het hartje voelt bonzen?

Ben ik het die beslist over leven en dood? Ben ik het die de botjes hoort kraken?

De hand legt het geknakte dier achter de grasmaaier.

Er zijn geen elfjes meer te bespeuren.

Simon en ik zitten gearmd in het reuzenrad. Hij heeft zijn zwarte leren pet weer op. Zo lijkt hij een beetje op een filmster.

'Ik ben zo blij dat je niet boos meer bent', roep ik in zijn oor. Kermismuziek en Simon, net wat ik nodig heb.

'Straks moet je bij ons komen eten', roept hij. 'Ma maakt lasagne.'

'Leuk!' gil ik. Een leugentje om de brokken te lijmen.

Het rad zuigt ons naar beneden.

Na de lasagne en een nummertje 'beleefd antwoorden op nieuwsgierige vragen' vluchten Simon en ik het huis uit.

In de filmzaal komt alles goed: Simons handen zijn zacht en zijn mond smaakt naar meer.

'Ik zie je graag', fluister ik in het donker.

'Ik jou ook', zegt hij.

Terwijl hij naar het scherm staart, streelt hij voortdurend mijn arm. We kijken elk naar een andere film.

Ik zie beelden uit mijn kinderjaren. Ik zit in het derde leerjaar; alle ouders en grootouders zijn uitgenodigd in de grote zaal van de school. Op een hoog podium krijgen we de laatste instructies voor het optreden. Door de spleet in het gordijn zie ik allerlei onbekende mensen zitten.

Ik draag mama's bruine trui, maar heb geen staart van stro aan mijn broek. De andere kinderen hebben er wel een; een mooie, volle staart. Bovenaan in mijn panty zit een gat. En dat gat is een ladder geworden tot aan mijn enkel. In de kleedkamers heerst een opgewonden drukte. *Denk eraan, poten naar voren houden en hinniken als het paard op de cd hinnikt.* Iedereen kijkt afkeurend naar mijn benen. Ik zet mijn hoeven tegen het potloodkruisje op de grond, kijk recht de zaal in. Dan zie ik mama zitten. Haar armen zijn gekruist en ze draagt een zwarte zonnebril. Mijn hoofd wordt rood. Een moeder op de tweede rij wijst naar mij. We buigen drie keer, het applaus galmt na tussen de coulissen. De juffrouw bijt op haar nagels. *Ik had jou nooit mogen laten optreden*, zegt ze. Het leek nergens op. Je had een staart moeten hebben. Mama zegt: *Flink gedanst, Motje.* Maar het klinkt als: ik heb je jeans gewassen. Haar oog zit helemaal dicht.

'Spannende film, hè', zegt Simon lief.

'Ja. Heel spannend', antwoord ik.

Ik kijk naar de groene letters naast het filmscherm.

Pauze. Simon haalt een grote emmer popcorn. Als verdoofd staar ik naar het lege doek. Ik ontrafel mijn verleden als een oude trui, maar verlies telkens weer de draad. Waar was papa die dag?

Het licht dooft weer. Simon zakt gezellig onderuit en slaat zijn arm om mijn schouders. Ik nestel me tegen hem aan.

Ik zie ons alledrie aan de tafel zitten. *Is er geen brood?* vraagt papa, terwijl hij alle kastdeuren met veel lawaai opent en weer sluit.

Mama plant haar handen op haar heupen, die ronder en breder zijn geworden.

Nee.

Waarom is er geen brood, Marleen?

Omdat er geen brood is! Ik wiebel op mijn stoel.

Een stoel heeft vier poten, zegt papa. *Ga normaal zitten!*

Ik heb nog altijd geen staart, zeg ik. *En ik moet vanmiddag optreden.*

Dan treed je maar op zonder staart, zegt mama.

Waarom heeft dat kind geen staart? zegt papa.

Omdat ik geen tijd heb gehad om het ding eraan te naaien! gilt mama.

Je had wél tijd om te naaien! schreeuwt papa terug. *Je hebt godverdomme drie weken aan een stuk genaaid!*

Mama trommelt met haar vuisten op tafel.

Hou erover op! gilt ze. *Hoe lang ga je me daar nog mee treiteren?*

Ik wil een staart! roep ik, maar ik krijg een draai om mijn oren.

Dan haalt papa de zak cornflakes uit de doos.

Hij scheurt die open en strooit de inhoud uit over de tafel en de vloer. Ik kijk verbaasd naar mama, die als een bange vogel in de hoek van de keuken zit. Haar gezwollen oog is nat. *Hij is nog altijd heel boos op mij*, zegt ze stil.

'Kijk', zegt Simon. 'Dat is dezelfde acteur als die van *Star Wars*.'
'Ja', zeg ik. In het donker durf ik te huilen.

17

> Een misdrijf is een ingrijpende gebeurtenis, ook voor de familie van het slachtoffer. Vaak is er bij het slachtoffer sprake van lichamelijke letsels met emotionele gevolgen, zoals angst. Herstelbemiddeling kan hier een oplossing bieden.

Mama weet zich geen raad en wandelt van het raam naar de muur.

Als ze zenuwachtig is, duwt ze haar linkerduim in haar rechterhand. Ze vermijdt het papa aan te kijken. Ze heeft hem niet meer gezien sinds het proces en dat is maanden geleden.

'Dag', zegt ze hees.

Ze lijkt op een vergeelde kamerplant en dat maakt me droevig.

'Mama', roep ik haar tot de orde. 'Vandaag moet je met papa praten. Dat is zo afgesproken, weet je nog? Pierre komt dadelijk.'

In haar gevangenishemd hangen haar borsten afstotelijk naar beneden. Dit gaat niet goed.

'Pierre met het korte en het lange been', mompelt ze.

Als ze zo in zichzelf praat, gomt ze zichzelf weg en zal er niks meer overblijven. Ik kijk papa wanhopig aan. Die haalt zijn schouders op.

Pierre houdt zijn aktetas als een schild voor zich als hij papa de hand schudt.

'Ga zitten, dames', klinkt het opgewekt. Mama imiteert achter zijn rug het loopje van Pierre en steekt haar tong uit.

Stel je niet zo aan, denk ik.

Ik draai papa's rolstoel tegenover mama. Voor het eerst sinds maanden kijken ze elkaar in de ogen. Papa is heel zenuwachtig.

Met zijn wijsvinger tikt Pierre tegen zijn onderlip.

'Jij wilt bij dit gesprek aanwezig zijn, Ellen?' vraagt hij vriendelijk. 'Je bent er zeker van?'

Ik knik.

Pierre houdt zijn ogen strak op zijn blad gericht.

'Goed dan.'

Als een standbeeld zit hij tussen papa en mama in, aan de korte zijde van de tafel.

Ik zie hoe papa's voeten schuin in te grote schoenen steken. Schoenen die nooit meer zullen lopen.

'Deze bemiddeling heeft enkel kans van slagen als jullie dat zelf ook willen', begint Pierre. Er valt een stilte. Ik kijk naar mama, die haar lippen tuit. Ik denk dat ze liever terugkeert naar haar cel. Maar ze moet papa een serieuze kans geven.

Pierre zet zijn bril op het topje van zijn neus en kijkt haar over de rand aan.

'Marleen... we beginnen met jou. Wil jij je man iets vertellen?'

Als mama niet praat, kan hij niks rapporteren: geen spijtbetuiging, geen woorden van vergiffenis. Maar dan gebeurt het. Mama praat. Een stortvloed aan woorden.

'Na het zondagse ontbijt speelde hij Parijs-Dakar in zijn jeep. Reed over putten en bobbels. Op een vies, bruin deken in de koffer van zijn auto hapte ik naar lucht en telde ik, samen met de oplichtende wijzers van mijn horloge, de uren af. Opluchting: de koffer gaat open. *Ik wil naar huis*, zei ik. *Jij houdt je mond hierover*, zei hij giftig.'

Papa's handen liggen als dode inktvissen in zijn schoot. Hij is lijkbleek. Het enige wat ik hem hoor zeggen is: 'Dat is niet waar, Marleen. Je weet dat dat niet waar is.'

Ik sla mijn handen voor mijn oren en plant mijn ellebogen op de tafel. Ik denk aan de grote schelp die papa voor mij heeft geraapt. We waren aan zee. De golven beukten tegen de dijken.

Als je goed luistert, hoor je het water. En ik herinner me mama in haar mooiste zomerjurk: een lichtblauwe met oranje bloemen.

Pierre klapt in zijn handen als een leraar, maar het heeft geen vat op haar.

'Je man zegt dat dat niet waar is, Marleen. Je haalt mogelijk dingen door elkaar. Dingen van voor je huwelijk. Dingen uit je jeugd. We weten dat je het niet gemakkelijk hebt gehad nadat je vader was weggegaan.'

Mama kijkt dwars door hem heen.

'Het was Herman die in de jeep reed', zegt ze na een tijdje. 'En het was ook Herman die de kop van de puppy afhakte.' Dan kijkt ze smekend naar mij. 'Dat heb ik jou toch verteld, Motje?'

Ik schud mijn hoofd.

'Je hebt nooit iets over Herman verteld, mama', zeg ik. 'Behalve dat hij oma van de trap heeft geduwd.'

'En ook dat is gelogen', hoor ik papa zeggen. Hij klinkt bikkelhard nu. 'Vraag het maar aan oma.'

Ik voel me zo ellendig. Arme papa. Mama heeft hem voorgoed fysiek onaantrekkelijk gemaakt voor de kapster, die hij nog steeds voor mij verbergt.

Pierre kijkt teleurgesteld.

'Willen jullie nog iets tegen elkaar zeggen?'

Het klinkt als een vraag naar een laatste avondmaal voor de doodstraf. Er valt een lange stilte. Ik geneer me.

'Ik denk dat ze zijn uitgepraat', zeg ik kordaat.

Voor mama zich door de cipier naar haar cel laat brengen, kijkt ze papa nog één keer aan. 'Je had het niet mogen doen', mompelt ze.

Op het binnenplein spelen enkele vrouwen netbal.

In de auto zegt papa: 'Tijdverlies. Ik had het kunnen weten.'

Ik sluit mijn ogen. Wát had papa niet mogen doen?

Plotseling doemt de dikke man als een schim in de nacht voor mij op: een kale kop, een bierbuikje en korte benen. Maar een vriendelijk gezicht.

En er komen nog meer herinneringen boven. Op een avond stoeit de dikke man met mij op het tapijt terwijl mama rode wijn drinkt en giechelt als een jong meisje. 's Morgens ligt zijn kale kop op papa's kussensloop.

Schoorvoetend kom ik dichter bij het bedlinnen waaruit vreemde geuren wolken.

Zou je het fijn vinden als ik een groentewinkeltje in een ander huis begon? vraagt mama. Hij verbergt zijn kalende hoofd onder de lakens en gromt als een beer. Mama maakt kirrende geluiden. Daarna steekt hij zijn voeten in papa's slippers. *Wanneer komt papa naar huis?* vraag ik. Mama kijkt mij bestraffend aan.

Ze slaat de dekens weg en ik zie dat ze naakt is.

Even later komt de dikke man onder de douche vandaan om schoon ondergoed te halen. Ik knijp mijn ogen dicht en denk bij mezelf: als ik van de vijfde trap naar beneden durf te springen, zal hij stikken in zijn ontbijtgranen. Ik spring en verstuik mijn enkel. Zoals altijd verbijt ik de pijn door heel hard op mijn knie te blazen tot er een rode vlek verschijnt.

Arm kind. Wacht, ik haal een pleister voor je, zegt de dikke man op de overloop. Zijn piemel bungelt tussen zijn benen. Mama komt naar me toegelopen en zegt: *Stel je niet zo aan, Ellen. Ik wil geen woord meer horen over papa. Papa komt morgen thuis en dan wonen wij ergens anders.*

Niet overdrijven, Marleen, sust de dikke man. *Als het allemaal doorgaat, zal hij bezoekrecht krijgen. Het kind mag haar eigen vader toch zien?* Mama steekt haar tong in zijn mond.

De eerste klant in mama's kersverse groentewinkel is oma. *Ik geef je zes weken*, zegt die met een rodekool in haar handen. *De groentemarkt is hier de hoek om. Die geeft haar kolen gratis weg.* Oma draagt een zachte jas. Ze lijkt op een donzig kuiken. Het is bijna Pasen. Misschien hebben de klokken haar naar beneden gegooid en loopt ze daardoor wat krom.

'Zal ik je naar Simon brengen? Ik ben nu toch vlakbij', vraagt papa. Zijn ogen dansen heen en weer over de weg, zijn handen trillen een beetje aan het stuur.

'Nee, laat maar. Ik heb morgen met hem afgesproken', zeg ik.'We gaan samen geschiedenis studeren.'

Papa knippert even met zijn ogen. De rit naar de gevangenis, de herstelbemiddeling, het heeft allemaal geen zin gehad.

'Goed idee', zegt hij. 'Als je het verleden begrijpt, snap je het heden veel beter.'

18

> Bepaalde gevangenen mogen genieten van ongestoord bezoek.

We zitten knus in zijn kamer. De poster van Spiderman hangt er niet meer.

'Geef twee kenmerken van het ancien régime', zegt Simon.

Ik denk even na. 'Standenmaatschappij en machtswillekeur.'

Hij trekt zijn wenkbrauwen samen. 'Ik zou zeggen: politieke ongelijkheid en sociale ongelijkheid.'

'Dat komt op hetzelfde neer', zeg ik.

'Nee. Vind ik niet. Standenmaatschappij is een begrip. Politieke ongelijkheid een kenmerk.'

Zeurpiet.

'Je bent aan het vitten.'

'En machtswillekeur is geen typisch kenmerk van het ancien régime. Machtswillekeur is een vage term. Toepasbaar op alle perioden uit de geschiedenis.'

'Sociale ongelijkheid is dat ook', zeg ik boos.

'Dat is niet waar.'

'Toch.' We kijken elkaar lang aan en schieten in de lach.

'Oké. Afschaffing van de ongelijkheid van standen. Wanneer precies?'

'Zeventienhonderd éénennegentig', gok ik.

'Nee.'

'Later?' vraag ik.

'Vroeger.'

'Na de bestorming van de Bastille?'

'Juist. Wanneer werd Frankrijk dan een republiek?'

'Later.'

'Wanneer precies?'

Ik haal mijn schouders op.

'Je bent er met je gedachten niet bij, Ellen.'

'Dat komt omdat de herstelbemiddeling mislukt is.'

'Hoe komt dat?'
'Omdat mama niet met papa wilde praten.'
Simon ligt met opgetrokken benen op zijn donsdeken. De cursus geschiedenis rust op zijn buik.
'En zij wordt overgeplaatst. *Afgevoerd*, zegt ze zelf. Is dat niet erg?'
'Naar een andere gevangenis?'
'Naar een andere afdeling.' Dat het de afdeling psychiatrie is, durf ik hem niet te vertellen. Ik durf hem ook niet te vertellen dat ik in mijn dromen achtervolgd word door een stomme grasparkiet.
'Wil je erover praten?'
Eigenlijk wel, maar toch schud ik mijn hoofd: 'Nee, eigenlijk niet.'
Hij ligt met opgetrokken benen op zijn donsdeken.
'Goed dan. Verklaar: cijnskiesrecht.'
Simons interesse voor wat geweest is, lijkt soms groter dan voor wat er nu gebeurt. Hij haalt voor geschiedenis schitterende punten.
'Zoiets als het algemeen stemrecht, maar dan voor de adel?'
'Heb je het niet gestudeerd?'
'Nee.'
'Waarom niet?'
Ik sluit mijn ogen en zucht diep.
'Je moet je eigen leven leren leiden', zegt Simon.
Als ik rechtop ga staan, zie ik mezelf in zijn spiegel. Mijn ogen wéten wat ze zien: een Colombiaans gezicht. Brede jukbeenderen, getinte huid. Waar maak ik mij druk om? Die vrouw in de gevangenis is mijn échte moeder helemaal niet! Zij is een vreemde die zich met weerhaken in mij heeft vastgebeten. Het zal pijn doen mij van haar los te rukken.
Simon staat achter me. Hij legt zijn handen over mijn borsten en kust me in mijn nek.
'Je moet het verleden achter je laten', zegt hij. Ik ril.
'Ze is mijn moeder niet', zeg ik.
Hij kijkt in de spiegel naar ons en glimlacht.
'Natuurlijk is ze je moeder. Omdat ze de vrouw is die voor je zorgde.'
Ik draai me naar hem toe, hij legt zijn handen over mijn wangen.
'Maar je hoeft niet iedere zondag naar haar toe.'
'Het verleden achter mij laten', herhaal ik zijn woorden. 'Dat kan ik pas als ik écht alles weet. Er zijn zoveel dingen waar en niet waar.'
Simon scheurt een blad uit zijn kladschrift.

'Ga aan mijn bureau zitten', zegt hij streng. 'En neem een balpen. Hier heb je een blaadje papier.'

Ik doe wat hij zegt. Het is heerlijk om hem gewoon te gehoorzamen. Een tikkeltje onderdanig te zijn.

'Verdeel je blad in twee kolommen.'

Mijn hart gaat wild tekeer.

'Schrijf links het woord waarheid. En rechts het woord leugen.'

Ik heb het door. Ik moet mijn gedachten ordenen.

Terwijl hij zijn geschiedenisles naleest, vul ik de twee kolommen in.

Links: waarheid: mama had een schommel, mama was zes toen haar vader haar verliet, mama was arm, oma was streng voor haar, mama leerde papa kennen op haar achttiende, oma viel van de trap, mama was onvruchtbaar, mama wilde mij, mama wilde mij niet laten dopen, mama kreeg huwelijksproblemen, mama leerde de dikke man kennen, papa sloeg haar een blauw oog, mama bleef drie weken bij de dikke man in de groentewinkel, papa en de cornflakes...'

Ik stop met schrijven. Papa haalde ons terug. Ik weet het weer. Het was op een regenachtige avond. Enkele dagen voor mijn achtste verjaardag. Hij heeft een koevoet vast en slaat het uitstalraam van de dikke man kapot. Hij is uitzinnig van woede. *Geef me mijn dochter en mijn vrouw terug, dikzak, of ik stamp je rotdeur in!* Mama staat twee verdiepingen hoog te bibberen op een stukje graniet voor een open venster. Papa is een brullende neanderthaler, die zwaait met zijn knots. *Kom naar beneden, zeg ik je!* De nachtjapon komt tot net onder haar billen. Ik durf niks te zeggen, uit schrik dat ze naar beneden zal springen. Daarom open ik het andere venster op de eerste verdieping en roep: *Ik kom, papa.* Als ik naar omhoog kijk, zie ik hoe mama als een koorddanseres naar evenwicht zoekt. Weer het gerinkel van glas. Geschrokken deinst ze achteruit. Hij heeft ook het tweede raam kapotgeslagen. In de verte hoor ik een loeiende sirene. Papa begint te huilen. Hij is dronken. *Wat heb ik verkeerd gedaan, Marleen?*

Ik spring, gilt mama. *Als je nu niet ophoepelt, spring ik.* Er valt een ijzige stilte. Ik ren terug naar boven met een klein dekentje. Mama's pon kleeft tegen haar rug. Terwijl ik mijn ogen niet van haar afwend, stap ik voorzichtig naar voren, hou het deken als een schild voor mij. Kom maar, mama. Kom maar. Straks vat je nog kou. Ze zet aarzelend een stapje achteruit. Snel gooi ik het deken om haar schouders. We houden elkaar stevig vast.

Links op mijn blad schrijf ik: papa kon gewelddadig zijn. Eén: 's nachts op de overloop sloeg hij mama een gezwollen oog, twee: met een koevoet sloeg hij het venster van een groentewinkel stuk.

Zullen we een klacht indienen? vraagt de dikke man, als papa met gierende banden is weggereden. Hij houdt mama als een baby in zijn armen. *Nee,* zegt mama. *Ik wil alleen dat hij mij met rust laat.* Ik durf haar niet te vragen wanneer we weer naar huis gaan.

'Hé, de dictatuur van Robespierre heeft maar één jaar geduurd, wist je dat?' zegt Simon.

'Nee.'

'Ben je klaar?'

'Nee. De rechterkolom nog.'

Leugen: papa onthoofdt een puppy (dat deed Herman), papa zegt dat hij geen kind van mama wil omdat het een proletariërkop zal hebben, papa sluit mama op in de koffer van zijn auto en rijdt met haar door de bossen (dat deed Herman?), oma wordt door Herman van de trap geduwd (ze struikelde gewoon), Tinne stak een ex-leraar dood met een mes, oma had een kind met een waterhoofdje.

'Onduidelijk', zeg ik luidop.

'Wat?' vraagt Simon.

'Of mama ooit een zusje met een waterhoofdje heeft gehad.'

'Vraag het haar zelf. Ga naar je oma toe.'

'Dat doe ik.'

Hij komt naast me staan en kijkt naar het blad.

'Ik denk dat je vader het niet kon verkroppen', zegt hij.

'Wat?'vraag ik.

'De dikke man. Je moeder had een minnaar.'

Ik draai Simons ring enkele keren om mijn vinger.

'Mama had een minnaar', zeg ik.

'Waarom?' vraagt hij.

'Omdat ze papa beu was?' Ik frunnik aan mijn papier.

Simon zucht en kijkt naar de wereldkaart die boven zijn bureau hangt. Colombia is het middelpunt van de wereld.

'Misschien word jij mij ook wel beu', zegt hij peinzend.

'Hoe kom je daarbij?' vraag ik.

'Omdat jij op je moeder lijkt', zegt hij.

19

> 's Nachts moet u altijd zichtbaar blijven, met het hoofd naar de buitenkant van de kamer.

Tussen elf en twaalf in de voormiddag zit ik met mama's handen in de mijne naar de grond te staren. Haar hoofd ligt in de plooi van mijn arm. Ze huilt.

'Wat is er?'

'Ik zal oud zijn als ik hieruit kom.'

Ze kruipt nog dieper in mijn armen weg.

'Ik heb mij willen wreken omdat ik het allemaal niet kon verwerken. Ik heb mijn best gedaan, al die jaren, maar het lukte gewoon niet.'

Haar stem trilt een beetje.

Dan tikt ze met gestrekte wijsvinger tegen haar hoofd.

'Maar ik ben niet gek. Niet gek. De tekst zit hier. Ik moet die alleen nog afprinten.'

We laten elkaars handen los en zwijgen weer.

Als ik afscheid van haar neem, komt Pierre naar me toe.

'Je moeder heeft geen contact meer met de andere vrouwen', zegt hij. 'Loop even met mij mee en draai je niet meer om.' Ik voel hoe stevig mijn elleboog in zijn hand ligt en doe wat hij zegt. Eenmaal buiten zeg ik:

'Met Kaat praat ze toch nog?'

Hij schudt zijn hoofd.

'Die is voorwaardelijk vrij.'

'Kaat? Die haar kind in de kast opsloot en zo zwaar mishandelde? Is die nu al vrij?'

Pierre kijkt mij licht geschrokken aan, krabt dan even in zijn baard en praat tegen de kasseien.

'Heeft ze je dat verteld? Dat Kaat haar kind mishandelde?'

'Is dat dan niet zo?' Ik wil zijn antwoord eigenlijk niet horen. In feite mag hij niet over de andere gedetineerden met mij praten, maar hij doet het toch. In mijn belang, vrees ik.

'Kaat was lid van een bende en kreeg vijf jaar voor een roofoverval. Ze heeft haar straf uitgezeten.'

Geen jongentje? Geen pleeggezin?

'Zit mama nu alleen in haar cel?' Pierre trekt even zijn neus op; het is maar een zenuwtrek.

'Je mama trekt zich helemaal terug in haar eigen wereldje. Het loopt fout.'

Als ik naar mijn kamer wil, hoor ik papa roepen:

'Kom even naar de keuken, Ellen!'

En daar zie ik haar, of tenminste haar grappige oranje kapsel.

Ze wrijft haar handen wat zenuwachtig over elkaar, alsof ze die inzeept. Kordaat stap ik naar haar toe. Ik kijk haar recht in de ogen. Die zijn groen en glanzen als smaragd.

'Dag.'

'Dag. Ik ben Doreen.'

'Ik ben Ellen. Mijn geboortemoeder heeft me verstoten.' Papa's ogen worden groot van verbazing.

Waarom zeg ik dat nu? Nog nooit heb ik zo'n straffe uitspraak gedaan. Mijn geboortemoeder kon niet voor mij zorgen. Nooit heb ik daar een probleem van gemaakt. Omdat mama mijn moeder is. Punt uit. De stilte tussen ons drieën lach ik wat onhandig weg. Een beetje hoog en schel, en vooral nep. Maar dat kan de kapster niet weten.

Vanuit zijn ooghoeken kijkt papa naar mij. Een beetje boos, toch wel. Hij heeft zich deze ontmoeting anders voorgesteld. Waarschijnlijk heeft hij Doreen verteld hoe charmant ik ben. Hoe beleefd, verstandig en vlot in de omgang. En hij heeft beslist iets over mijn exotische ogen gezegd of over mijn lichtbruine huid.

'Zal ik thee zetten?' vraag ik luchtig.

Doreen knikt opgelucht.

We rommelen wat in de keuken. Ik zie hoe slank en mooi haar handen zijn.

'Breken ze niet af?' vraag ik.

Ze fronst haar wenkbrauwen en kijkt me vriendelijk aan. In haar wangen ontdek ik een kuiltje. In dat kuiltje zal mijn papa gevallen zijn.

'Je nagels. Als je al die hoofden moet wassen...'

'Nee', zegt ze. 'Ik verzorg ze iedere avond weer.'

Verzorging: net wat wij nodig hebben.

'Kom jij hier wonen?' Ik weet dat ik klink als een brutaal kind, maar het maakt het gesprek tussen ons gemakkelijker.

'Zou je dat willen?'

Aha, een verstandige kapster. En bijna meteen schaam ik me om die gedachte. Lijk ik op mijn mama?

'Ik weet het niet.'

'We doen het rustig aan. Laten we maar eens beginnen met gewoon een weekendje Ardennen. Wij met zijn tweeën. Vind je dat erg?'

'Je moet hem vier keer per dag op de wc zetten.'

'Dat weet ik.'

'En iedere dag de krant voor hem halen. De Standaard.'

'Doe ik.'

Ze gooit het theebuiltje in de theepot.

'Nee,' zeg ik, 'eerst die theepot voorverwarmen. Dan het builtje erin en op een halve meter hoogte heet water in de pot gieten. Zo zet je écht lekkere thee.'

Ze slaat haar handen voor haar mond en speelt het spel mee.

'Sorry, hoor. Ik zal het nooit meer vergeten.'

Alleen mama kan lekkere thee zetten, wil ik nog zeggen. Maar iets houdt me tegen.

20

Iemand raapt me op en legt me in een zee van olijfgroen water.

Ik heb het koud en warm tegelijk.

Een natte handdoek op mijn voorhoofd. Mama's silhouet. Haar stem klinkt als metaal.

We gaan terug naar huis, zegt ze. We gaan terug bij papa wonen.

Is hij dood? vraag ik.

Je krijgt een nieuwe voor je verjaardag. Mama heeft geen lippen meer.

Ik ben alleen thuis en kijk naar mijn computer. Simons knappe kop blijft op mijn netvlies branden.

Postvak in. Twee keer klik ik. Nul berichten.

Simon@telenet.be. De letters krankzinnig uitvergroot.

Hey blokbeest! We zouden toch samen zwemmen?

Dat mama's depressie een gapend gat wordt in mijn hoofd, mag geen invloed meer hebben op onze relatie.

Hij houdt misschien niet meer van mij. Niet echt meer.

Mijn leven is een slappe puzzel geworden omdat mama aan alle stukjes knabbelt.

Ik tik opnieuw zijn adres in. Bijt zenuwachtig op mijn nagels.

Lieve Simon, alles wordt nu helder. Ik hou niet alleen van jou omdat ik je nodig heb. Kus. Ellen.

De gesprekken met mama worden korter en akeliger. Ik probeer haar reeënogen te vergeten, rustig en berekenend en met maar één doel voor ogen: Simon niet verliezen. Enkele minuten later mailt hij mij.

Jij moet eerst een flinke brok oud verdriet verteren. Ook kus.

Oud verdriet. Ik denk dat ik weet wat hij bedoelt. Mama wordt meer en meer een lastige rugzak die ik van mij af moet gooien.

'S Nachts wandel ik naar papa's kamer omdat ik niet kan slapen. Het is er koud.

'Papa?'

Hij opent meteen zijn ogen, ik denk dat hij niet eens sliep.
'Ja, Ellen?'
'Die grasparkiet...'
'Wat is daarmee?'
Hij knipt het nachtlampje aan en loert naar zijn wekkerradio.
'Ik heb die gedood.'
Hij zucht.
'Gewurgd', zeg ik.
Papa laat zijn hoofd weer in het kussen vallen, kijkt opzettelijk scheel en fluistert geheimzinnig: 'En daarna heb je hem opgegeten. Met huid en haar.'
'Nee, papa. Ik meen het. Ik woonde bij de dikke man, volgde de elfjes en ben bijna doodgevroren. Ik wurgde die avond mijn vogel. De dikke man heeft me opgeraapt en in bed gestopt. Ik was ziek, had hoge koorts. Enkele dagen later waren wij weer samen. We vierden mijn achtste verjaardag met koekjestaart. Jij liep boos weg.'
De tranen in zijn ogen verraden zijn radeloosheid. Hij draait zich op zijn zij. Moet zijn verlamde benen een handje helpen.
'Dat zou kunnen, Ellen.'
'En op de dag van mijn schooloptreden was jij heel boos op mama en heb jij een hele zak cornflakes leeggeschud.'
'Zou ook kunnen. Ik herinner het mij niet meer.'
'Je hebt het haar nooit vergeven.'
'Ga nu maar slapen.'
'Je hebt haar zelfs geslagen. Ze had een blauw oog toen ze naar het schoolfeest kwam. Jij was er niet bij toen ik paardje moest spelen en de hele klas mij uitlachte omdat ik niet eens een staart had.'
Hij antwoordt niet. Ik heb de indruk dat hij zijn machteloosheid verbergt onder het donsdeken. Ik knip het lampje uit.
'Papa?'
Hij doet alsof hij slaapt. Maar daar trap ik niet in.
'Papa!' Mijn medelijden met hem stijgt als een zeepbel en spat uiteen.
'Ja, Ellen?' In het maanlicht zie ik zijn gesloten oogleden trillen.
'Ik vind Doreen oké.'
Het is alsof de stilte de kamer opwarmt.
'Vind ik ook.'
Misschien kan hij niet eens met haar vrijen.

21

> Het verlof is bedoeld om uw familiebanden hechter te maken.

Ze draagt een smalle jeans, een korte, witte trui met rolkraag en witte laarsjes. De geur van één uurtje vrij.

'Ben je blij, mama?'

'Gevangen zijn ruikt naar ongewassen kleren', antwoordt ze. Ik begin me aan zulke antwoorden te ergeren, maar ik laat het haar niet zien.

Ze ademt heel diep in. We zitten op een bank in het park op ongeveer een kilometer van de gevangenis.

Haar hoofd zakt naar haar rechterschouder.

'Hoe gaat het met papa?' vraagt ze dromerig. Haar gezicht is glad en bleek.

'Beter.'

'Is hij thuis?' Ik weet dat ze gespannen naar me zal luisteren, maar ik ben niet van plan veel te vertellen.

'Nee. Hij is een weekend naar de Ardennen met Doreen.'

Er valt een stilte en ik weet niet goed of ik haar moet vertellen wie Doreen is. Kan ik haar zeggen: Doreen is een mooie, jonge kapster die verliefd geworden is op papa en die ik écht wel grappig vind?

'Doreen... die ken ik niet.'

'Een kennis. Komt twee keer in de week poetsen. Ze maakt soms warme maaltijden. En ze heeft groene ogen.'

'Oh.' Ik kijk naar haar zonder écht aan haar te denken. En dat geeft mij een vreemd gevoel van vrijheid.

'Doreen is kapster. Zie je dat niet aan mijn haar?'

Ik draai mijn hoofd van links naar rechts, maar mama kijkt brutaal van me weg.

'Je was nog niet geboren, toen het gebeurde.'

Het begint voorzichtig te regenen.

'Toen wat gebeurde?'

'Toen Herman oma van de trap duwde. Hij wilde haar vermoorden.'

Ik wil geen kansarm verleden meer omdat mama zich daar altijd achter kan verschuilen. De zwarte periode uit haar leven interesseert mij zelfs niet meer. Nog enkele minuten en ik fiets naar huis.

'Het is echt waar. Hij duwde haar de trap af.'

Ik kijk naar haar. Mama heeft een sterk profiel, rechte neus, licht ingevallen wangen, een wilskrachtige kin. Je zou nooit vermoeden dat er iets grondig mis is met haar.

'Mama, je liegt.'

Ze staat op en maakt enkele danspassen in de regen.

'Soms maken we zelf gele pudding', roept ze tegen de wolken.

Dan gaat ze op het muurtje zitten, onder een afdak.

'En misschien krijgen we volgend jaar televisie in onze cel. Pierre zegt dat we op die manier op de hoogte blijven van wat er buiten gebeurt. Maar, weet je wat de echte reden is, Motje? Televisie houdt ons mak.'

Ik ga naast haar zitten.

'Eén euro', vervolgt ze. 'Eén euro per uur verdien ik in de bibliotheek. Vorige week kocht ik er een taartje van. Ik at het alleen op in mijn cel. Je vergat mijn verjaardag.'

'Je verjaart volgende maand pas.'

Ze stapt uit het hokje, gaat in de gietende regen staan, hurkt neer en begint te huilen. Ik loop naar haar toe en sla mijn arm om haar schouders.

'Mama toch.'

'Ik wil Sim en Sam', jammert ze.

Mijn tranen worden door de regen weggewist.

'Ik vond ze niet. In geen enkele doos. Echt waar, ik heb de hele zolder ondersteboven gekeerd.'

Ik denk aan vroeger: hoe ze soms onder de gesteven lakens gleed en voorlas uit *Jip en Janneke*. Ik duwde mijn hoofd in haar okselholte en snoof haar geur op.

'Mama...' zeg ik en ik houd mijn handen voor mijn gezwollen oogleden. 'Waarom deed je het?'

Ze had papa willen weggommen uit haar leven, zo vanzelfsprekend als eten en drinken.

'Je komt niet meer op bezoek...'

Mama sluit mijn vingers in haar hand en knijpt heel hard.

'Ik ben er nu toch.'

'Hij was de moordenaar van mijn kind. Daarom.'

Ze valt op haar achterste in een plasje water.
'Wie?' Tranen rollen over mijn gezicht.
'Papa. Jouw broertje lag tussen aardappelschillen en bedorven gehakt. Het had niet eens tien vingers. Ik zag alleen maar een hoofd met twee krenten erin. Dof en ver uit elkaar. Het was een jongetje. Mijn eigen vlees en bloed.'
Een koe loeit in de verte. Als de kerkklok vijf uur slaat, fluister ik:
'Er wás geen kind; je kon geen kinderen krijgen.'
Ik grijp mama onder de oksels en trek haar overeind. Dan begint ze onbedaarlijk te lachen.
'Heb jij mijn cel ooit gezien? Drie meter bij vier.'
'Ik heb je cel gezien, ja. Het linnen tafelkleed is mooi.'
'Je hebt mijn échte vader nooit gekend, jouw opa. De hele straat moet weten dat ik een dochter heb die kan vliegen!'
Ze ademt snel en veegt de modder van haar jas.
'Kom, mama, je moet terug.'
Ik neem haar bij de elleboog en leidt haar richting gevangenis.
'Mijn vader liet na zijn verdwijning niks van zich horen omdat hij een kunstenaar was. Ik herinner het mij nog. Hij zong toen hij mij van school haalde en hij droeg een stokbrood onder zijn arm. Misschien is hij wel vermoord. Dat deden ze weleens in de jaren zeventig: mensen met andere politieke ideeën uitschakelen.'
'Nee, mama. Het is anders gegaan.'
Ze schudt zich los en zegt plotseling heel ernstig: 'Hoe dan, Motje? Weet jij meer? Vertel het me dan, alsjeblieft.'
Ik kijk mama scherp aan.
'Hij nam de boot naar Amerika. Dat is alles.'
Mama loopt plotseling voorovergebogen, alsof ze een zware last moet torsen.
'Hoe weet jij dat zo zeker?'
'Omdat ik het gedroomd heb.'
'Is het nog ver?'
'Nee. Kijk, daar is de poort.'
Dan haakt ze in, alsof ze met me door een winkelstraat kuiert. Losjes, ontspannen.
'Ik was zeventien en dacht dat het zo hoorde.'
'Wat bedoel je?'

'Ik heb met half toegeknepen ogen de rand van mijn laken afgesabbeld toen Herman op een nacht van mijn bed naar dat van mijn moeder stapte.'

'Hoezo?'

'Hij had me verkracht.'

Ik kijk naar het vreemde, kleine mensje naast me.

'Je gelooft me niet, hé?'

Waarheid of leugen? Linker- of rechterkolom?

Aan de poort geeft ze me een brief.

'Nee, mama, ik...'

'Van het zoontje van Kaat. Lees.'

Lieve mama, hoe gaat het met u? Met mij gaat alles goed. Mijn hondje is verloren gelopen, maar ik heb het teruggevonden in een schuur. Onder een deken. Ik denk heel dikwijls aan u, mama. Groeten. Mathias.

Mijn hart maakt een sprongetje van blijdschap. Kaat heeft dus wél een zoon. Eén die door pleegouders wordt opgevoed. Linkerkolom.

'Dáárom hield ze haar mond', vertelt mama, terwijl ze op de bel drukt van de gevangenispoort. 'Ze wilde haar zoon niet verliezen, begrijp je? Maar ik vertelde je de waarheid: Kaat wilde dat ik die brief schreef naar het ministerie van Justitie. Ze is een beetje laf geweest. Maar ik denk dat ik haar wel begrijp. Dat kind, hé. Tot zondag, Motje.'

Ik kijk op mijn horloge en zeg: 'Ik weet niet of ik zondag kom. Examens volgende week.'

De cipier opent de poort en groet mij.

'Net op tijd voor het avondeten, Marleen', zegt hij vriendelijk.

'Ik ga eerst nog een brief schrijven', zegt mama.

'Naar wie?' Mama trekt haar wenkbrauwen op en kijkt mij vriendelijk aan.

'Naar Motje natuurlijk!'

'Schrijf je brief maar. Ik zal hem zeker lezen, mama.'

Ze knijpt in mijn wang.

'Jij bent voor mij een zeemeeuw die op een ijsschots zal wachten tot ik vrijkom', glimlacht ze.

22

Ik zoek de elfjes. Ze verschijnen niet meer.

Ik zie alleen nog gele, blauwe en rode vlekken. Ze vormen één groot kleurentapijt.

Ik speur naar mijn grasparkiet. Maar ik zie niets. De kleuren nemen me mee naar een groene weide. Naar een koe en een kerkklok. Daar zie ik mezelf liggen. Met gespreide benen en armen.

Als ik Simon boven een bord dampende frieten vraag waarom mij dit allemaal is overkomen, troost hij mij: 'Omdat jij een flink meisje bent. Wil je me de mayonaise geven?'

'Binnenkort krijgt mama zware medicatie. Dan kan ik naar de antwoorden op mijn vragen fluiten.'

'Zure mayonaise is minder vet, zeggen ze.'

'Ze hebben haar klein gekregen.'

'En de ketchup graag...'

'Met de cipier van de nacht heeft ze ruzie gemaakt.'

'Ze mogen ervan zeggen wat ze willen: die van Heinz is de beste.'

'Het is echt een stom mens, die cipier. Ken je dat type? Dikke duimen achter lederen riem, lelijk gezicht. Ze hield ooit een gedetineerde boven een wc-pot.'

'Lekkere friet. Krokant.'

'... rel in de cel, lawaai op de gang... Pierre kon deze keer niks meer uit zijn hoed toveren. Mama zegt dat ze allemaal bang van haar zijn. Ze zou het durven, hoor, naar de kranten schrijven en al die wantoestanden aanklagen: de te kleine cellen, de grove manier waarop de vrouwen worden toegeschreeuwd, het slechte eten.'

Ik kijk naar mijn bord met junkfood en schiet in de lach. Simon eet gulzig door.

'Ik vraag me af of mama's advocaat zijn werk wel goed heeft gedaan. Er zijn nog zoveel dingen onduidelijk. Ze heeft veel verzwegen. Hij had haar meer kunnen laten vertellen.'

'Hé!' roept Simon en hij kijkt lachend langs me heen.

'Wat?' Aan zijn kin hangt een beetje mayonaise. De dienster zet een pintje bier naast zijn bord.

'Kijk eens naar buiten.' Ik draai me om.

'Wat?'

'Zie je het niet?'

'Wat? Wat moet ik zien?'

'De zon', glimlacht hij. 'Gaat dat zwemmen nog door?'

Als ik me over de tafel heen buig, hangt mijn sjaaltje over mijn hamburger en kust hij me. Zachtjes legt hij zijn vinger op mijn lippen en fluistert mij terug naar wat belangrijk is.

'Ik zie je graag.'

Mijn ogen branden. Ik denk dat het van ontroering is.

Als we nog een ijsje bestellen, neem ik me voor het onderwerp 'mama' niet meer in de mond te nemen. Nu is het genoeg geweest. Het is tenslotte haar schuld dat ik ongelukkig ben. Maar als hij me een uurtje later lachend onder water duwt, hoor ik haar zeggen: *Zwem maar van me weg, Motje. Zonder lucht in je bandjes.*

Simons badmuts zit een beetje scheef op zijn hoofd.

'Om ter snelst naar de overkant!' gilt hij.

Nog voor ik de kans krijg om te antwoorden, schiet hij als een pijl uit een boog over het water. Mama ligt als een brok graniet midden op mijn baan.

Als ik thuiskom, ligt haar brief als een gevallen ster op tafel. Doreen heeft het huis gepoetst. Het is lang geleden dat er nog een geur hing van zeep en waspoeder.

Ze heeft de ramen wijd opengezet.

'De lente mag binnen, vind je niet, Ellen?' zegt ze als ik wat wezenloos in de gang blijf staan.

'Zeker', zeg ik vriendelijk.

'Je papa komt een uurtje vroeger thuis. Hij wil ons trakteren op ijs. Ik ben gek op dame blanche.'

'Goed. Ik kleed me boven even om.'

'Geef je zwemtas hier. Dan hang ik de natte spullen aan de draad.'

Uit mijn slaapkamerraam zie ik dat ze de was over de buizen van de schommel heeft gehangen.

23

> Beleefdheid en vriendelijkheid verhogen de kans dat u met respect wordt behandeld.

Lieve Motje,

Zwart/blauw/grijs: de drie kleuren uit mijn leven. Over de zwarte zal ik jou in deze brief vertellen. De blauwe, die ken je. Jij fladderde door ons leven als een blauwe, zeldzame vlinder. Die periode kan ik overslaan. De grijze periode zal ik in een volgende brief proberen te beschrijven. Daar wilde jij ooit alles over weten. Maar je was nog een kind. Nu ben je dat niet meer. Tijd dus om jou te vertellen hoe de vork in de steel zit.
Maar eerst: zwart.
Ik ben zeventien. Heb me een beetje opgetut, want ik moet op sollicitatiegesprek.
Herman: 'Ik zal je brengen.'
Ik: 'Het is nog te vroeg. Ik word daar pas om vier uur verwacht.'
Je oma: 'Ze ziet er bleek uit, Herman. Neem haar even mee de bossen in. Krijgt ze wat kleur op haar gezicht.'
In het koffer van zijn auto ruikt het naar kadavers. Het kadaver van een puppy zonder kop.
Op een afgelegen plek spreidt hij een bruin deken open, legt er zorgvuldig zijn horloge en vestje op en zegt dat ik mijn broek moet uitdoen. Mijn billen zijn witte, vlezige vlekken. Hij heeft de rubberen kluif van zijn Duitse scheper onder mijn hoofd gelegd. Zijn adem stinkt. Ik neem eerst een koekje uit mijn handtas en verslik me in de kruimels.
'Scheer voortaan het haar onder je oksels. Het is geen gezicht zo.'
'Ontplof', zeg ik hoestend. Maar hij werpt zich op mij en sist in mijn oor: 'Geen woord hierover tegen je moeder. Hoor je mij? Geen woord!'
Op het autokerkhof naast het bos laat hij mij achter.
Ik veeg het vuil van mijn kleren, kam mijn haar en ga te voet naar de winkel waar ik word verwacht.

De manager laat zich charmeren door mijn lange benen die ik bedachtzaam over elkaar schuif. Ik moet deze baan hebben, want ik wil zo snel mogelijk het huis uit.
'Ik doe graag vis en groenten, mijnheer.'
Hij is een klein, tenger mannetje dat zenuwachtig zijn brilglazen poetst. Ik wiebel op mijn stoel en verlies hem geen ogenblik uit het oog.
De man begint trager te praten:
'Dus jij kent het verschil tussen wijting en kabeljauw?'
Ik sla mijn benen nog één keer zo elegant mogelijk over elkaar.
'Mijn vader vaart op zee.'
Zijn vingers lijken op dunne worsten als hij mijn hand wil drukken.
'Goed. Drie weken op proef.'
'Ik heb werk', zeg ik tegen je oma, die de ramen zeemt.
'Goed,' zegt zij, 'dan kan je binnenkort alleen gaan wonen.'
Herman stapt met een puntzak friet de keuken binnen. Omdat ik gewend ben te doen alsof, vraag ik of de frieten lekker zijn.
'Een beetje te doorbakken', gromt hij.
Oma wringt haar zeemvel uit en kijkt gespannen van mij naar hem. Daarna neemt ze een strijkijzer uit de kast. Kordaat steekt ze de stekker in. Stoom blaast vervaarlijk in mijn richting.
'Wil je koffie?' vraagt ze.
Nog nooit heeft ze dat aan mij gevraagd.
'Graag', antwoord ik zacht.
Het strijkijzer staat als een buffer tussen ons in. De stilte wordt heter en heter. Herman is naar zijn stamkroeg vertrokken.
Als ik melk in mijn kopje giet, zegt ze:
'Ik kon niet meer tegen je vader op. Hij wilde heftig leven, net als jij. Ik wil niet oud worden, zei hij altijd, ik ben ziek. Ziek vanbinnen. Ik vond het allemaal aanstellerij.'
Ik kijk haar smekend aan:
'Waarom liet vader ons in de steek?' vraag ik. Ik smeek om een antwoord. Gele bleekheid om haar lippen. Oma werd plotseling een oude vrouw.
'Zijn boeken, zijn filosofen... de godganse dag. Onnozele dingen... als jij huilde, stopte hij watten in zijn oren. Als jij lachte, ging hij met jou naar het park. Toen de boot vertrok, nam hij alleen zijn boeken mee. Je was zes, Marleen. Een jengelend kind van zes. Hij koos de plezierige momenten uit met jou. Ik kreeg de rest.'

Oma haalt twee kopjes en schoteltjes uit de kast.
We drinken zwijgend. Ik denk dat ze wist wat Herman met mij deed. Haar was heeft ze nooit helemaal kunnen strijken. Die avond duwt Herman haar van de trap en breekt ze haar botten.

Eén jaar later ontmoet ik je papa. Die leest boeken en houdt van de zee. De blauwe periode is aangebroken.

Mama

24

Ik schrik plotseling wakker. De zon dringt door de spleet van mijn gordijn.

Voor het eerst in maanden heb ik niets gedroomd.

De geluiden van de ochtend en de geur van verse koffie komen me bekend voor. In de badkamer scheert papa fluitend zijn baard. Doreen heeft rode rozen in een vaas gezet.

'Goeiemorgen, Ellen', zegt ze. 'Plannen voor vandaag?'

'Ik ga naar oma', zeg ik.

Papa slaat zijn handen in elkaar.

'Fijn. Dan maken wij er een dagje Brussel van. Manneke Pis uitlachen.'

Doreen schatert.

Ze draagt een kort truitje. In haar mooie, strakke buik heeft ze een navelpiercing. Ze duwt papa's rolstoel licht en plagerig vooruit.

'Oh, Ellen...' zegt ze, terwijl ze papa's sjaal van de haak haalt. 'Ik ruimde de zolder op en vond een knuffel van je.'

'Knuffel?' vraag ik.

'Een zwart schaap.'

Sim of Sam?

'Ik heb het op je bed gelegd.'

Ze kust mijn voorhoofd. Dat heeft nog nooit iemand op die manier gedaan.

'We zijn rond zessen terug', zegt papa. Zijn stem klinkt hoog en prettig.

'Kijk eens wie we hier hebben! Ellen!' roept oma blij als ik de lift uitstap. 'Moet jij niet naar school?'

'Nee, oma. Het is zaterdag vandaag.'

Ik denk aan het waterhoofd dat zij gebaard zou hebben.

Als mijn mama liegt omdat ze mijn liefde wilde, dan loog ze zichzelf aan de galg.

We stappen door een afstandse gang naar haar kamer. Oma heeft haar oude hand op mijn arm gelegd. Ik kijk in haar doffe blauwe ogen.

'Hoe gaat het met je mama?'
'Ze piekert nogal veel', vertel ik.
Oma steekt haar vinger in de lucht en zegt:
'Dat doet ze sinds ze zes is.'
Ze wast haar handen boven een ouderwetse wastafel, kijkt in de gespikkelde spiegel naar mij en draait haar ogen naar de onderste la van haar klerenkast.
'In die doos bewaar ik foto's', zegt ze.
Ik rommel in de doos en vind er enkele van mama toen zij jong was.
'Heb je er ook van mama's zusje?'vraag ik voorzichtig.
Oma legt haar nog natte handen in haar nek, wiebelt van links naar rechts en kijkt mij vanuit haar ooghoeken aan. Het is een harde blik.
'Nee', zegt ze. 'Ik heb nooit een foto van haar gehad.' Ze hoest.
Ik kan mijn tranen terugdringen. Lieve mama. Zusje gaat van de rechter- naar linkerkolom. Van leugen naar waarheid.
Oma tovert een zakdoek uit haar kamerjas en fluimt erin.
'En Herman?' vraag ik.
Haar slimme oogjes fonkelen gevaarlijk.
'Je moet toch wel een foto van Herman bewaard hebben.'
Oma's lippen steken wat verontwaardigd vooruit als ze zegt: 'Wát kom jij hier eigenlijk doen, Ellen?'
Op het onopgemaakte bed laat ik me achterovervallen.
Het liefst wil ik vluchten.
Oma zoekt naar een theebuiltje.
'Gewone of rozenbottel?' vraagt ze dof. Op een laag, wit tafeltje staan een waterkoker en enkele omgespoelde koppen.
'Herman duwde oma van de trap,' zeg ik luid genoeg tegen een langpotige mug en het lijkt alsof zelfs die mug mij niet wil geloven, 'daarom loopt ze zo krom.'
Plotseling gebeurt er iets onvoorstelbaars.
Oma schopt als een wilde furie met haar rechtervoet tegen mijn kuiten. Ik veer overeind.
'Hou op met die leugens! Lelijke, schele indiaan!' Het is alsof de muren op me neerstorten.
'Je moeder is gek', gilt ze. 'Net als de ouwe in Amerika. Stapelgek!'
Oma blijft maar schoppen. Ik dans op de grond, alsof ik in mijn kuiten word gestoken door een zwerm bijen.

'Leugenaar! Leugenaar! Vuile leugenaar!'schreeuwt oma. In de deur staat een geschrokken Mensje.

'Wat is hier aan de hand? Rustig maar! Rustig!'

Ik spring op het bed, druk me tegen de muur aan en gooi het hoofdkussen hard tegen oma's benen.

'Hij misbruikte haar, oma!' roep ik. 'Herman verkrachtte mama! Twee keer. Eén keer in het bos en één keer in mama's bed. Dát is de waarheid!'

Haar tandeloze mond wordt een diepe krater. Zij weert zich als een duivelin en valt dan voorover op het bed.

'Ga weg, vreemd kind!' tiert ze. Haar gezicht is een lillend stuk rood vlees op het witte laken. 'Ga terug naar je land! Ze had jou nooit mogen adopteren!'

Mensje kan oma overmeesteren. Ze gaat naast haar op het bed zitten en spreekt sussende woorden. Ik maak dat ik wegkom.

'Ik viel over zijn pantoffels!' hoor ik oma nog roepen. 'Ik wil je moeder nooit meer zien! Zeg haar dat maar! Nooit meer!'

Op de fiets zet ik alles op een rijtje.

Omdat oma helemaal geen onschuldig, lief mens is, liet opa haar zitten. Dat maakte haar bitter. Ze bleef achter met mama, een jengelend kind van zes dat haar steeds het gevoel gaf dat opa's vlucht naar Amerika háár schuld was. Met Herman sluit ze een stilzwijgend duivelspact; ze wist wat hij met haar dochter deed. En daarom geloof ik wat ze mij daarnet toeschreeuwde: ze viel stomweg over zijn pantoffels. De duw van de trap zal wel een van mama's afrekeningen met haar stiefvader zijn. Arme mama.

Het is goed dat de twaalf juryleden mama's eenzame jeugdjaren moeiteloos geslikt hebben. Mama liegt dus niet de hele tijd. Het zusje met een waterhoofd heeft echt bestaan. Ik begrijp nu beter waarom mama in de beklaagdenbank huilde. Ze verloor haar vader aan de zee en haar moeder aan een schoft.

25

> De samenleving lijdt onder de feiten, maar heeft ook een verantwoordelijkheid in het terug opnemen van daders.

Ik lig met Simon in de tuin. De zon streelt onze huid. Het gras ruikt naar lente.

Zijn buik gromt.

'Heb je honger?' vraag ik.

'Altijd', lacht hij.

Op mijn borst ligt mama's tweede brief.

Lieve Motje,

Ik heb dus te veel verzwegen.
Begrijp me niet verkeerd: de grijze periode uit mijn leven heeft niets met jou te maken. Jij bleef altijd mijn blauwe stipje.
Vanaf nu moet ik één keer per maand in het wit van de ogen van een zwijgende psychiater kijken en moeilijke vragen beantwoorden.
Wat zal het opbrengen?
Schouderklopjes voor de psychiater zelf waarschijnlijk. Die schreef gisteren in een net schoolmeesterhandschrift vier vragen op het bord.
Wat is liefde?
Wanneer heb je liefde ervaren?
Hoe heb jij die liefde vormgegeven?
Was het een goede vorm?

Er hing spanning in de lucht. Weet je dat ik zelfs zeurpiet Pierre miste? Die zou iets onnozels hebben gezegd, over het koortsblaasje op mijn lip, bijvoorbeeld. Of over de kleur van mijn nagellak.
Ik pende de vragen gehoorzaam over. De psychiater vroeg waarom ik aarzelde. Ik zei hem dat ik vond dat ik mijn privéleven niet zomaar te grabbel moest gooien. Dat alleen mijn dochter recht had op enkele antwoorden. Hoe heet je dochter? Motje, zei ik.

Doe dan alsof Motje de vier vragen stelt en antwoord haar eerlijk. Ik vroeg hem of hij kinderen had. Hij reageerde niet. Je zou kinderen moeten hebben, zei ik.

Op de dwarsbalk van de houten schommel zit een merel.

'Zullen we vanavond barbecuen?'vraagt Simon.

'Graag. Dan haal ik vlees voor vier', antwoord ik. 'Doreen is gek op gemarineerde varkenslapjes. En daarna dame blanche.'

Oké. Hier gaan we dus. De antwoorden zijn alleen voor jou.

Vraag één: Wat is liefde?
Antwoord: Waarschijnlijk had jouw opa zijn vlucht naar Amerika voorbereid.
Hij verdween op de grote vaart en kwam nooit meer terug. De dag na zijn verdwijning liep ik tijdens de middagpauze de school uit. Ik zat in het eerste leerjaar. Overal riep ik zijn naam. Ik heb dat vier maanden gedaan. Kreeg er een schorre keel van. Dát is liefde.

Vraag twee: Wanneer heb je liefde ervaren?
Toen ik op de schommel zat en jouw opa mij de hemel in duwde. Toen hij riep: 'De hele straat moet weten dat ik een dochter heb die kan vliegen!'

Vraag drie: Hoe heb jij die liefde vormgegeven?
Door opa nooit te vergeten. Je papa begreep er niks van. Erger nog: het elektracomplex waaraan ik zou lijden, irriteerde hem. Op een avond wond hij een uitgedroogde grasspriet om het topje van mijn vinger. Dat deed pijn. Ik wist dat mijn vinger mijn vader was en het alsmaar rodere topje mijn hoofd. Het was een dreigement: ik moest loskomen van 'die loser'. Mocht zelfs zijn naam niet meer uitspreken. Drie weken was ik gelukkig met een andere man. Hij luisterde naar mijn verhaal en begreep dat ik mijn vader miste. Hij maakte tijd voor me. Voor jou ben ik teruggegaan. Omdat jij papa miste. Ik mocht niet dezelfde fout maken.

Vraag vier: Was het een goede vorm?
Aan je opa blijven denken, was goed omdat ik zo nooit vergat wat liefde is. Toen ik je papa vertelde dat ik zwanger was, stelde hij een abortus voor. 'Ik kan het kind van die dikzak niet opvoeden, dat moet je begrijpen, Marleen...!' Ik heb gesmeekt, gebeden. Het hielp allemaal niets. Het moet toen ook tot hem doorgedrongen zijn dat hij onvruchtbaar is, en niet ik.
Op een avond vertel ik hem dat ik mijn kind wil houden. Hij schept nog wat aardappelen op zijn bord en plet ze met zijn vork. Ik zit stikvol angst. Als ik zijn glas met wijn vul, slaat hij mijn hand weg. We hadden afgesproken dat je het zou laten weghalen, zegt hij. Maar ik antwoord: Nee. Jij wil dat zo, ik niet. En als je me dwingt, dan vertel ik Motje later alles. Toen heeft hij het kind als het ware uit mij gestampt. Ik kreeg een miskraam. Ik heb mijn jongen even op de keukenweegschaal gelegd om afscheid van hem te nemen.

Simon geeuwt. De zon wordt krachtiger.

De merel fladdert met zijn vleugels, maar blijft op zijn plaats zitten. Tussen zijn snavel zit een takje

Waar heeft hij zijn nest gemaakt?

Lieve Motje, sinds de dag dat ik mijn zoontje verloor, is alles grijs geworden. Ja, ik heb veel liefde gevoeld toen ik je broertje als een kuiken in zijn schaal begroef. En laat je vanaf nu niets meer wijsmaken: er bestaat maar één soort liefde. Die van een moeder voor haar kind.

Je mama

'Simon, slaap je?'

'Nee, ik droom.'

'Geen wolkje aan de lucht.'

'Hm....'

'Wil je iets voor me doen?'

'Hm...'

'Wil je de schommel voor me afbreken?'